耳で学ぶ日本語

Mastering Japanese by Ear

わくわく文法リスニング99

ワークシート

利用听力学日语

利用聽力學日語

귀로 배우는 일본어

小林 典子

フォード丹羽順子

高橋 純子

藤本 泉

三宅 和子

Waku Waku Bunpo Listening 99

Work Sheet

Mastering Japanese by Ear

by

KOBAYASHI, Noriko, FORD-NIWA, Junko, TAKAHASHI, Junko,
FUJIMOTO, Izumi and MIYAKE, Kazuko

Published and distributed by BONJINSHA CO., LTD. 1-3-13 Hirakawa-cho, Chiyoda-ku, Tokyo 102 Japan

Printed in Japan

ISBN 4-89358-307-7

この教材を使用する皆さんへ

はじめに

この教材は一つ一つの文を正確に聞きとるための練習教材です。聞きとりが上達するためには、次の①②の両方の練習が必要です。

① 話の全体の内容が大体わかるようになる練習

② 一つの文の細かいところを正確に聞く練習

①は、細かい部分がわからなくても、話の内容の重要な部分が理解できるようになることを目指しています。一方、②は細かい部分まで正確に聞いてわかることを目指しています。

この教材の練習は②のタイプです。特に初級の文法が理解できるように、1文または短い対話の聞きとり練習問題を多数作りました。また、日常生活に必要な数字、日づけ、道順などの聞きとりも練習に入っています。

この本のレベル

これは日本語の勉強を始めたばかりの人から、200時間ぐらい勉強した人まで使えます。

① 日本語の勉強を始めたばかりの人

クラスや教科書で学習した文法項目を、今度は、この教材で聞きとる練習をしながら、その文法項目の理解を深めることができます。

② 初級の日本語学習が終わった人

聞きとり練習をしながら、初級文法の総復習ができます。

構成

この教材はテープを聞きながら練習するためのもので、次のような構成になっています。

① テープ（2巻）別冊解答付き　（別売り）

自然な話し方、自然な速度で録音してあります。

② ワークシート

この本です。テープを聞きながら書きこむ解答用シートで、切り取って使うこともできます。

③　指導の手引　　（別売り）

指導の目的、留意点、テープスクリプト、解答が含まれています。

使い方

練習は１課から99課まであります。この順番は『Situational Functional Japanese』（筑波ランゲージグループ著　凡人社）という教科書に合わせてあります。皆さんは各課の文法はもう学習しましたか。他の教科書で勉強している人は、この本の課の順番ではなく、すでに勉強した課から選んで練習してください。目次で文法項目を確認することができます。

練習は次のような順番でしてください。

①　テープを聞く前に、解答用紙をよく見て、何をするのか、絵はどんな意味なのかを考えてから、練習を始めてください。また、解答用紙を見ると、テープを聞く前に答えがわかる練習もありますが、それは答えを確認しながら聞く練習です。

②　誰が誰に話しているのか、どんな場面かを考えながら、聞いてください。

③　答えを書くのに時間がかかる場合は、テープを途中で止めながら、練習してください。また、テープを止めて、先を予測する練習も多数あります。予測しながら聞くことはとても大切です。

④　答えはテープと『指導の手引』の両方についています。答えの検討をしてください。

⑤　わからない単語があるときや、文の意味がわからないときには、先生に質問したり、辞書で調べたりしてください。

⑥　何度も繰り返して聞いて確認しましょう。

この教材が皆さんの日本語の勉強に役立つことを願っています。

謝辞

この教材は、筑波大学留学生センターの聞きとり試作教材の成果を踏まえ、新たに制作したものです。試作版制作に協力してくださったセンターのスタッフの皆さんと、教材に意見をくださった留学生の皆さんに感謝します。

著者一同

目　次

中山さんはがくせいです

―「～は～です」―

ただしいものをえらんでください。

Circle the appropriate answer.
请选择正确答案。
請選擇正確的答案。
옳은 것을 고르시오.

I．例

中山(なかやま)さん ＝ {(a.) がくせい / b．りゅうがくせい / c．せんせい}

練習

1．山田(やまだ)さん＝{a．がくせい / b．りゅうがくせい / c．せんせい}

2．ミカさん＝{a．がくせい / b．りゅうがくせい / c．せんせい}

3．田中(たなか)さん＝{a．がくせい / b．りゅうがくせい / c．せんせい}

4．サリーさん＝{a．がくせい / b．りゅうがくせい / c．せんせい}

II．例

中山(なかやま)さん ＝ つくば大学(だいがく) の {(a.) がくせい / b．りゅうがくせい / c．せんせい}

練習

1．田中(たなか)さん ＝ 山田先生(やまだせんせい) の {a．がくせい / b．りゅうがくせい / c．ともだち}

2．サリーさん ＝ 田中(たなか)さん の {a．がくせい / b．りゅうがくせい / c．ともだち}

➡うらにつづく

3．ミカさん　＝　ちば大学(だいがく)　の　{ a．がくせい　b．りゅうがくせい　c．ともだち }

4．山田先生(やまだせんせい)　＝　{ a．きょういく　b．けいざい　c．かがく }　の　せんせい

5．木村先生(きむらせんせい)　＝　{ a．ちば大学(だいがく)　b．きょうと大学(だいがく)　c．にほん大学(だいがく) }　の　せんせい

III．**例**

中山(なかやま)さん　の　{ a．くに　ⓑ．せんもん　c．せんせい }　＝　けいざい

練習

1．田中(たなか)さん　の　{ a．くに　b．せんもん　c．せんせい }　＝　きむらせんせい

2．ミカさん　の　{ a．くに　b．せんもん　c．せんせい }　＝　きょういく

3．サリーさん　の　{ a．くに　b．せんもん　c．せんせい }　＝　イギリス

4．わだ先生(せんせい)　の　せんもん　＝　{ a．かがく　b．きょういく　c．けいざい }

5．ミカさん　の　せんせい　＝　{ a．やまだ先生(せんせい)　b．わだ先生(せんせい)　c．きむら先生(せんせい) }

中山さんはせんせいじゃありません

―「～です」「～じゃありません」―

ひていぶんのときは、れいのように×をつけてください。

Mark each negative statement with ×, as shown in the example.

否定句时，如例所示，请用X表示。

如例所示請於否定句劃X。

부정문의 경우 예와 같이×표를 하시오.

例1　中山(なかやま)さん　＝　がくせい

例2　中山(なかやま)さん　≠　せんせい

練習

1. 田中(たなか)さん　＝　がくせい
2. 田中(たなか)さん　＝　せんせい
3. サリーさん　＝　りゅうがくせい
4. マリさん　＝　にほんじん
5. 田中(たなか)さん　＝　つくばだいがくのがくせい
6. サリーさん　＝　田中(たなか)さんのともだち
7. きむら先生(せんせい)　＝　けいざいのせんせい
8. サリーさん　＝　イギリスのりゅうがくせい
9. 中山(なかやま)さん　＝　きむらせんせいのがくせい
10. マリさん　＝　イギリスのりゅうがくせい

サリーさんの国もイギリスです

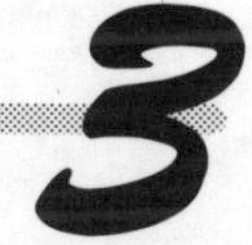

―「〜の〜」「も」―

テープをきいて、（　）にひらがなをかいてください。

Listen to the tape. Fill in the blanks with appropriate hiragana.

听录音，在（　）中填上平假名。

聽錄音帶，在括弧裏填入平假名。

테이프를 듣고, (　)속에 히라가나로 쓰시오.

例1　中山(なかやま)さん（ **は** ）がくせいです。

例2　中山(なかやま)さん（ **は** ）つくばだいがく（ **の** ）がくせいです。

練習

1．田中(たなか)さん（　　　）がくせいです。

2．中山(なかやま)さん（　　　）がくせいです。

3．ミカさん（　　　）カナダ（　　　）りゅうがくせいです。

4．中山(なかやま)さん（　　　）きむらせんせい（　　　）がくせいです。

5．田中(たなか)さん（　　　）日本(にほん)だいがく（　　　）がくせいです。

6．サリーさん（　　　）田中(たなか)さん（　　　）ともだちです。

7．中山(なかやま)さん（　　　）田中(たなか)さん（　　　）ともだちです。

8．ジョンさん（　　　）くに（　　　）イギリスです。

9．サリーさん（　　　）くに（　　　）イギリスです。

10．ミカさん（　　　）せんもん（　　　）きょういくです。

２５、２０５、２５０

―すうじ―

ただしいすうじをえらんでください。

Circle the correct numbers.
请选择正确的数字。
請選擇正確的數字。
옳은 숫자를 고르시오.

例１　(２５)　２０５　２５０

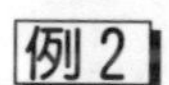　２５　２０５　(２５０)

練習

a.　１８　８１　１０８
b.　１８　８１　１０８

---

c.　５６　６５　５０６
d.　６５　５６　６０５
e.　６５　６０５　６５０

---

f.　６９　９６　６０９
g.　９６　９０６　９１６
h.　９６　９０６　９１６

---

i.　４８　４０８　４１８
j.　４８　４０８　４１８
k.　４０８　４１８　４００８

---

l.　１０１　１１０　１１１
m.　１０１　１１０　１１１

➡うらにつづく

n.	305	315	350
o.	305	350	3035
p.	335	3035	3135

q.	801	810	811
r.	801	810	8100
s.	810	811	8100

t.	160	1600	10600
u.	1600	1060	1160
v.	1160	1610	16100

w.	267	1067	2607
x.	2067	2607	2617

y.	7805	7850	78050
z.	8750	78050	78500

１００円です

―ねだん―

ねだんをかいてください。

Write the price of each item in the blank.
请写出价钱。
請寫出價錢。
가격을 쓰시오.

例１

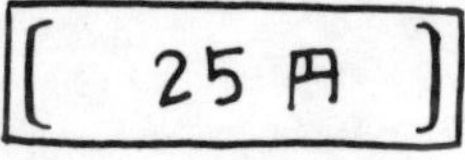

例２

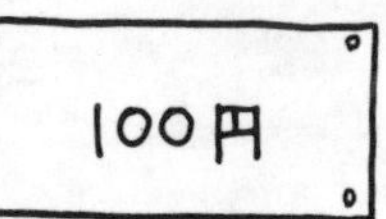

練習

1．

2．

3．
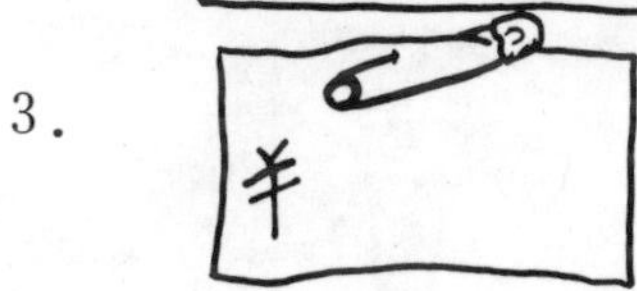

4．
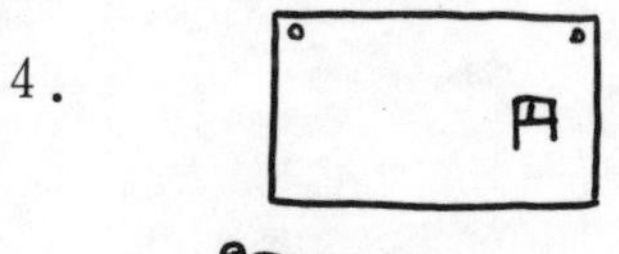

5．
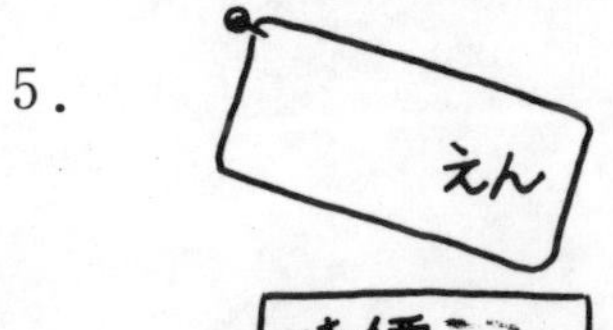

6．

7．

8．

9．
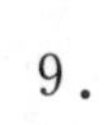

10．
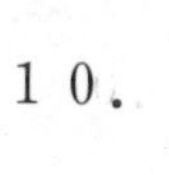

11．
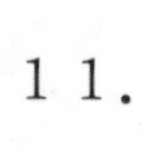

12．
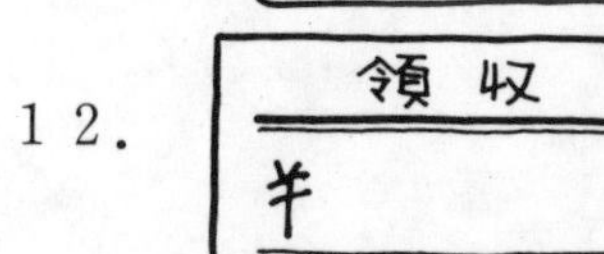

13．
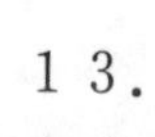
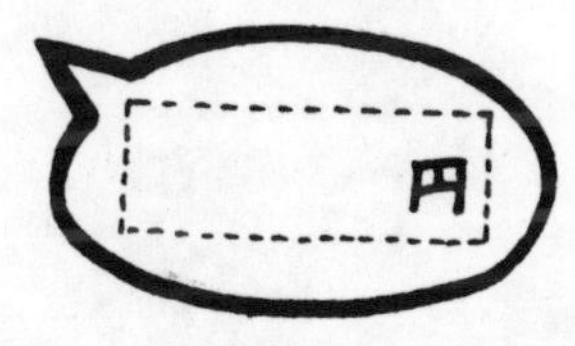

14．
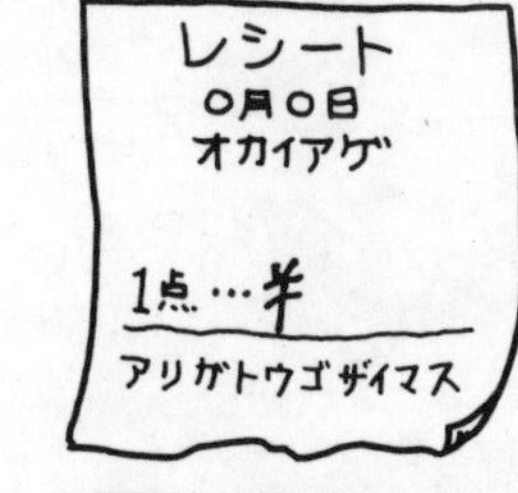

15．
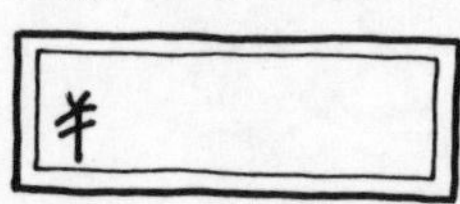

だれといきますか

ー「だれ」「どこ」「なに」「いくら」「なんまい」ー

てきとうなこたえをえらんでください。

Fill in the blanks with the appropriate answers.
请选择适当的答案。
請選擇適當的答案。
적당한 답을 고르시오.

例1 （ a ）
例2 （ b ）

練習

1. 1. （　　）
 2. （　　）
 3. （　　）

2. 1. （　　）
 2. （　　）
 3. （　　）

3. 1. （　　）
 2. （　　）
 3. （　　）

4. 1. （　　）
 2. （　　）
 3. （　　）

きのうよみましたか

―「～ます」「～ません」「～ました」「～ませんでした」―

てきとうなえをえらんでください。おなじえをなんどもえらんでいいです。

Fill in the blanks with the letters of the appropriate picture. The same picture may be used more than once.

请选择适当的图画。同样的图画可以选择多次。
請選擇適當的圖畫。同樣的圖畫可以選擇多次。
적당한 그림을 고르시오. 같은 그림을 몇 번 골라도 됩니다.

a

b

c

d

e

f

g

h

i

j

例1	例2	1	2	3	4	5	6	7	8	9
d	f									
10	11	12	13	14	15	16	17	18	19	20

四人です

ー助数詞「〜つ」「〜人」「〜名」「〜枚」ー

てきとうなえをえらんでください。

Look at the picture. Fill in the blanks with the appropriate letters.
请选择适当的图画。
請選擇適當的圖畫。
적당한 그림을 고르시오.

a

b

c

d

e
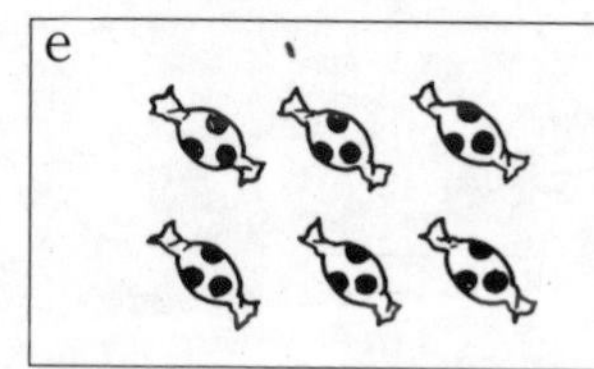

f

g

h

i

j

k

l

m

n
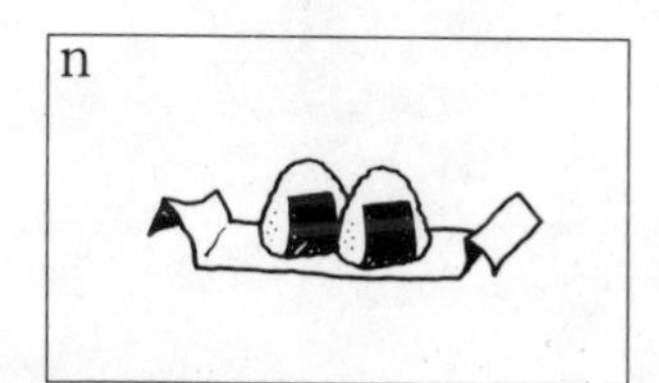

例1	例2	1	2	3	4	5
G	H					
6	7	8	9	10	11	12

ともだちにとけいをあげました

ー授受動詞(1)「あげる」「もらう」「かす」「かりる」などー

(　　　)に←か→を書(か)いてください。

In each blank, draw the appropriate arrow.

请在括号里划←或者→。

請在括弧裏劃←或者→。

(　)속에 ← 나 →를 표하시오.

例1　山田(やまだ)　(←――)　サリー

例2　(わたし)　(――→)　ともだち

練習

1.	(わたし)	(　　　)	サリー	11.	わだ先生(せんせい)	(　　　)	学生(がくせい)
2.	サリー	(　　　)	ともだち	12.	サリー	(　　　)	山田(やまだ)
3.	山田(やまだ)	(　　　)	ともだち	13.	山田(やまだ)	(　　　)	サリー
4.	(わたし)	(　　　)	サリー	14.	(わたし)	(　　　)	サリー
5.	山田(やまだ)	(　　　)	ともだち	15.	サリー	(　　　)	ともだち
6.	山田(やまだ)	(　　　)	サリー	16.	(わたし)	(　　　)	サリー
7.	アリ	(　　　)	ともだち	17.	(わたし)	(　　　)	サリー
8.	(わたし)	(　　　)	サリー	18.	(わたし)	(　　　)	サリー
9.	(わたし)	(　　　)	アリ	19.	アリ	(　　　)	先生(せんせい)
10.	先生(せんせい)	(　　　)	学生(がくせい)	20.	サリーとアリ	(　　　)	(わたし)

田中さんはきってをかいました

ー助詞「を」「へ」「に」「で」＋動詞ー

テープをきいてからａかｂかえらんでください。そのあとでたしかめてください。

Listen to the tape and select the appropriate answer, a or b. Then check your answers.

听完录音后，请选择a 或者 b，然后检查答案。

聽完錄音帶後，請選擇 a 或者 b。然後檢查是否正確。

테이프를 듣고 a나 b를 고르시오. 그 후 확인하시오.

例１ ⓐ．かいました
　　 ｂ．いきました

例２ ａ．みました
　　 ⓑ．いきました

練習

1．ａ．かえりました
　　ｂ．かいました

2．ａ．べんきょうしました
　　ｂ．いきました

3．ａ．かえりました
　　ｂ．ききました

4．ａ．きました
　　ｂ．もらいました

5．ａ．かえりました
　　ｂ．よみました

6．ａ．いきました
　　ｂ．かきました

7．ａ．いきました
　　ｂ．みました

8．ａ．きました
　　ｂ．よみました

9．ａ．いきました
　　ｂ．たべました

10．ａ．いきました
　　ｂ．みました

➡うらにつづく

11. a．ならいました

    b．べんきょうしました

12. a．きました

    b．だしました

13. a．いきました

    b．かきました

14. a．みました

    b．かしました

15. a．もらいました

    b．かえりました

16. a．べんきょうしました

    b．おしえました

でんわがあります 11

ー「あります」「います」ー

Ｉ．テープをきいてから正しいほうをえらんでください。そのあとで、たしかめてください。

Listen to the tape and circle either［います］or［あります］. Then listen again to check your answers.

听完录音后，请选择（います・あります）。然后听录音中的正确答案检查自己的答案。

聽完錄音帶後，請選擇「います・あります」，然後聽錄音帶中的答案檢查是否正確。

테이프를 듣고,「います」나「あります」를 고르시오. 그 후 확인하시오.

例１（います・(あります)）

例２（(います)・あります）

練習

1．（います・あります）

2．（います・あります）

3．（います・あります）

4．（います・あります）

5．（います・あります）

6．（います・あります）

7．（います・あります）

8．（います・あります）

9．（います・あります）

10．（います・あります）

➡うらにつづく

II. テープをきいてから正(ただ)しいほうをえらんでください。そのあとで、たしかめてください。

Listen to the tape and circle either [います] or [あります]. Then listen again to check your answers.

听完录音后，请选择（います・あります）。然后听录音中的正确答案检查自己的答案。

聽完錄音帶後，請選擇「います・あります」，然後聽錄音帶中的答案檢查是否正確。

테이프를 듣고,「います」나「あります」를 고르시오. 그 후 확인하시오.

例1 （います・(あります)）

例2 （(います)・あります）

練習

1．（います・あります）

2．（います・あります）

3．（います・あります）

4．（います・あります）

5．（います・あります）

6．（います・あります）

7．（います・あります）

8．（います・あります）

9．（います・あります）

10．（います・あります）

へやの中に男の子がいます

12

―位置(1)―

えを見(み)ながらテープをきいて、正(ただ)しいものには○、まちがっているものには×をかいてください。

Listen to the tape while looking at the picture. Mark the correct statements with ○, the incorrect with ×.

一边看图一边听录音，正确的划○，错误的划X。
一邊看圖一邊聽錄音帶，正確的劃○，錯誤的劃X。
그림을 보면서 테이프를 듣고, 옳은 것에는 ○, 틀린 것에는 ×표를 하시오.

例1 (○)

例2 (×)

練習

1. (　　)
2. (　　)
3. (　　)
4. (　　)
5. (　　)
6. (　　)
7. (　　)
8. (　　)
9. (　　)
10. (　　)

でんわはかいだんの近くにあります 13

―位置(2)―

Ⅰ．えを見(み)ながらテープをきいて、正(ただ)しいものをえらんでください。

Listen to the tape while looking at the picture. Fill in the blanks with the appropriate answers.
一边看图一边听录音，选择正确答案。
一邊看圖一邊聽錄音帶，選擇正確的答案。
그림을 보면서 테이프를 듣고, 옳은 것을 고르시오.

a

b

c

d

e

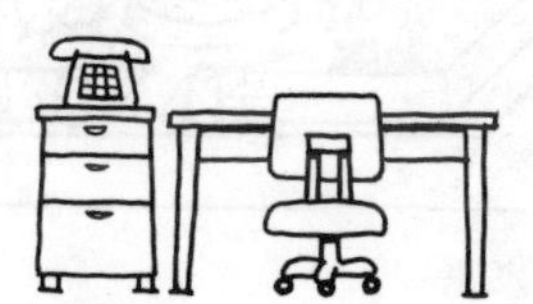

f

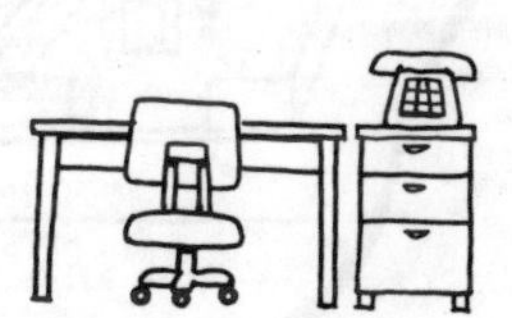

例 （ C ）

練習

1.（　　） 2.（　　） 3.（　　） 4.（　　） 5.（　　）

➡うらにつづく

II．えを見(み)ながらテープをきいて、正(ただ)しいものをえらんでください。

Listen to the tape while looking at the picture. Fill in the blanks with the appropriate answers.

一边看图一边听录音，选择正确答案。

一邊看圖一邊聽錄音帶，選擇正確的答案。

그림을 보면서 테이프를 듣고, 옳은 것을 고르시오.

例 （ D ）

練習

1.（　　）2.（　　）3.（　　）4.（　　）5.（　　）

きく、たべる、くる、する 14

ー動詞の辞書形ー

正しい絵をえらんでください。

What is the person doing? Fill in the blanks with the appropriate letters.

下图中的人正在干什么？请选择正确的图画，在括号中写上号码。

下圖中的人正在做甚麼？請選擇正確的圖畫，並在括弧裏寫上號碼。

무엇을 하고 있습니까? 옳은 그림을 고르시오.

例

練習

I.

II.

III.

かいてください　15

ー動詞の「て」形(1)ー

何(なん)といっていますか。a、b、cのなかから正(ただ)しいものをえらんでください。

What is the person saying ? Circle the appropriate answer: a, b or c.

下图中的人正在说什么？请在 a，b，c 中选择正确答案。

下圖中的人正在說甚麼？請在 a，b，c 中選擇正確的答案。

무엇이라고 말하고 있습니까? a, b, c 중에서 옳은 것을 고르시오.

例1
a. かって
b. かけて
(c.) かいて

例2
a. かして
(b.) けして
c. けすて

練習

1. a. して
b. しって
c. しった

2. a. とべて
b. どめて
c. たべて

3. a. かえって
b. かえて
c. かえんて

4. a. すかって
b. つくって
c. つかって

5. a. おぎて
b. おって
c. おきて

6. a. かって
b. かんて
c. かて

7. a. のって
b. のいで
c. のんで

8. a. きって
b. きて
c. きいて

9. a. くして
b. かして
c. けして

10. a. おんで
b. よんで
c. よって

11. a. まて
b. まつて
c. まって

12. a. だして
b. でして
c. だって

13. a. いつて
b. いいて
c. いって

14. a. かつて
b. かいて
c. かって

15. a. つわって
b. すわいて
c. すわって

どうぞたべてください 16

ー動詞の「て」形(2)ー

は何をしますか。正しい絵をえらんで（　　）に番号を書いてください。
なに　ただ　え　ばんごう　か

What is the person doing? Select the correct picture and write the appropriate letter in the blank.
下图中的人正在做什么？请选择正确的图画，在括号中写上号码。
下圖中的人正在做甚麼？請選擇正確的圖畫，並在括弧裏寫上號碼。
무엇을 하고 있습니까? 옳은 그림을 골라 ( )속에 번호를 쓰시오.

a

f

b

g

c

h

d

i

e

j

例1 （d）

例2 （a）

練習

1.（　　）

2.（　　）

3.（　　）

4.（　　）

5.（　　）

6.（　　）

7.（　　）

8.（　　）

お金がありませんからかいません　17

ー理由の「～から」ー

テープをきいてからａかｂかえらんでください。そのあとでたしかめてください。

Listen to the tape and circle the appropriate answer: a or b. Then listen again to check your answers.
请听完录音后，从 a，b 中选择正确答案，然后检查答案。
聽完錄音帶後，請從 a，b 中選擇正確的答案。然後檢查是否正確。
테이프를 듣고, a나 b를 고르시오. 그 후 확인하시오.

例1 (a.) 本をかいません。
　　b．本をかいました。

例2 a．あさごはんを食べます。
　　(b.) あさくさへ行きます。

練習

1．a．きょうのよるべんきょうします。
　　b．あしたのよるべんきょうします。

2．a．でんわしました。
　　b．でんわしてください。

3．a．きょうお金がありません。
　　b．お金がありました。

4．a．えいごで話してください。
　　b．えいごで話しませんでした。

5．a．きょうよみません。
　　b．きょうよみます。

6．a．大学へ行きませんでした。
　　b．大学へ行きません。

7．a．あるきませんでした。
　　b．バスにのってください。

8．a．へやに入ってください。
　　b．タクシーをよんでください。

あたらしいです 18

―形容詞(1)―

てきとうな絵(え)をえらんでください。

Select the correct picture and write the appropriate letter in the blank.

请选择正确的图画。

請選擇適當的圖畫。

적당한 그림을 고르시오.

I. 例 (C)

練習

1. (　　)
2. (　　)
3. (　　)
4. (　　)
5. (　　)
6. (　　)
7. (　　)
8. (　　)
9. (　　)
10. (　　)

II. 例1 (e)

例2 (f)

練習

1. (　　)
2. (　　)
3. (　　)
4. (　　)
5. (　　)
6. (　　)
7. (　　)
8. (　　)
9. (　　)
10. (　　)

a　b　c　d

e　f　g　h

i　j　k　l

m　n　o　p

q　r　s　t

u　v　w

日本語はむずかしくないですね 19

ー形容詞(2)ー

てきとうな絵(え)をえらんでください。

Select the correct picture and write the appropriate letter in the blank.

请选择正确的图画。

請選擇適當的圖畫。

적당한 그림을 고르시오.

例1 (b)

例2 (i)

練習

1. (　　)
2. (　　)
3. (　　)
4. (　　)
5. (　　)
6. (　　)
7. (　　)
8. (　　)
9. (　　)
10. (　　)
11. (　　)
12. (　　)
13. (　　)
14. (　　)
15. (　　)
16. (　　)
17. (　　)

a ¥300

b ¥1,000

c New 新

d Old 古

e Ha Ha Ha

f

g

h

i

j

k

l

m

n

o

p

q

r

s  Big 大

t Small 小

u Good 良

v Bad 悪

w

うちへ帰ってべんきょうします 20

―継起の「～て」―

正しい絵をえらんでください。

Select the correct picture and write the appropriate letter in the blank.

请选择正确的图画。

請選擇正確的圖畫。

옳은 그림을 고르시오.

例 (K) + (C)

練習

1. (　　) + (　　)
2. (　　) + (　　)
3. (　　) + (　　)
4. (　　) + (　　)
5. (　　) + (　　)
6. (　　) + (　　)
7. (　　) + (　　)
8. (　　) + (　　)
9. (　　) + (　　)
10. (　　) + (　　)

a

b

c

d

e

f

g

h

i

j

k

l

m

n

o

へやでお茶をのみました 21

―「で」「に」―

テープを聞いてから、aかbかえらんでください。そのあとでたしかめてください。

Listen to the tape and circle the appropriate answer: a or b. Then listen again to check your answers.
听完录音后，请从a，b中选择正确答案，然后检查答案。
聽完錄音帶後，請從a，b中選擇正確的答案。然後檢查是否正確。
테이프를 듣고, a 나 b를 고르시오. 그 후 확인하시오.

例 a．います。
(b.) おちゃをのみました。

練習

1．a．います。
b．べんきょうします。

2．a．います。
b．べんきょうします。

3．a．いてください。
b．たべてください。

4．a．います。
b．まちます。

5．a．のります。
b．本をよみます。

6．a．はいってください。
b．まってください。

7．a．ありますよ。
b．してください。

8．a．よんでください。
b．かいてください。

9．a．のります。
b．きます。

10．a．あります。
b．かりました。

何時ですか

22

―時刻―

正しいじこくをえらんでください。
ただ

Fill in the blanks with the appropriate letters.

请选择正确的时间。

請選擇正確的時間。

옳은 시각을 고르시오.

I.

a
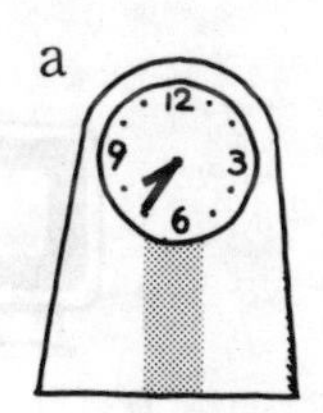

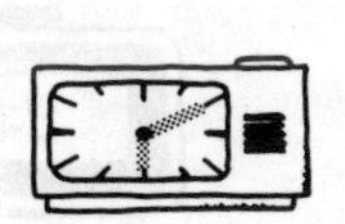

c

d

e
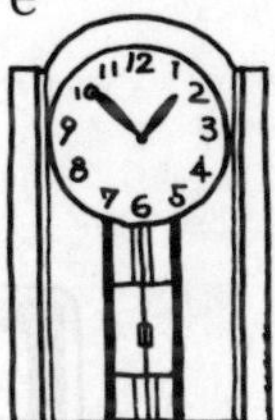

f

g
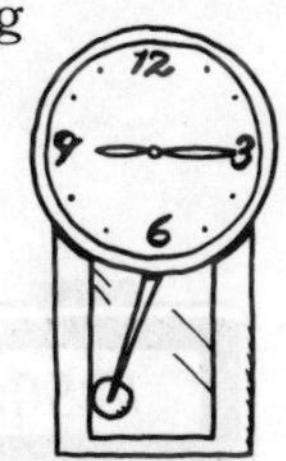

h

i
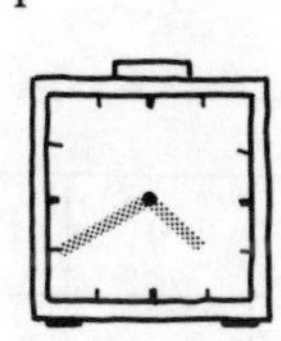

j
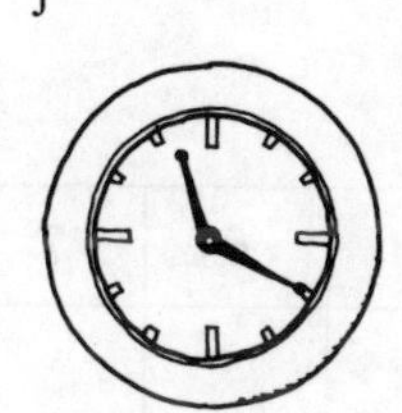

k

l

例　練習

例1	1	2	3	4	5	6	7	8	9	10
K										

➡うらにつづく

II.

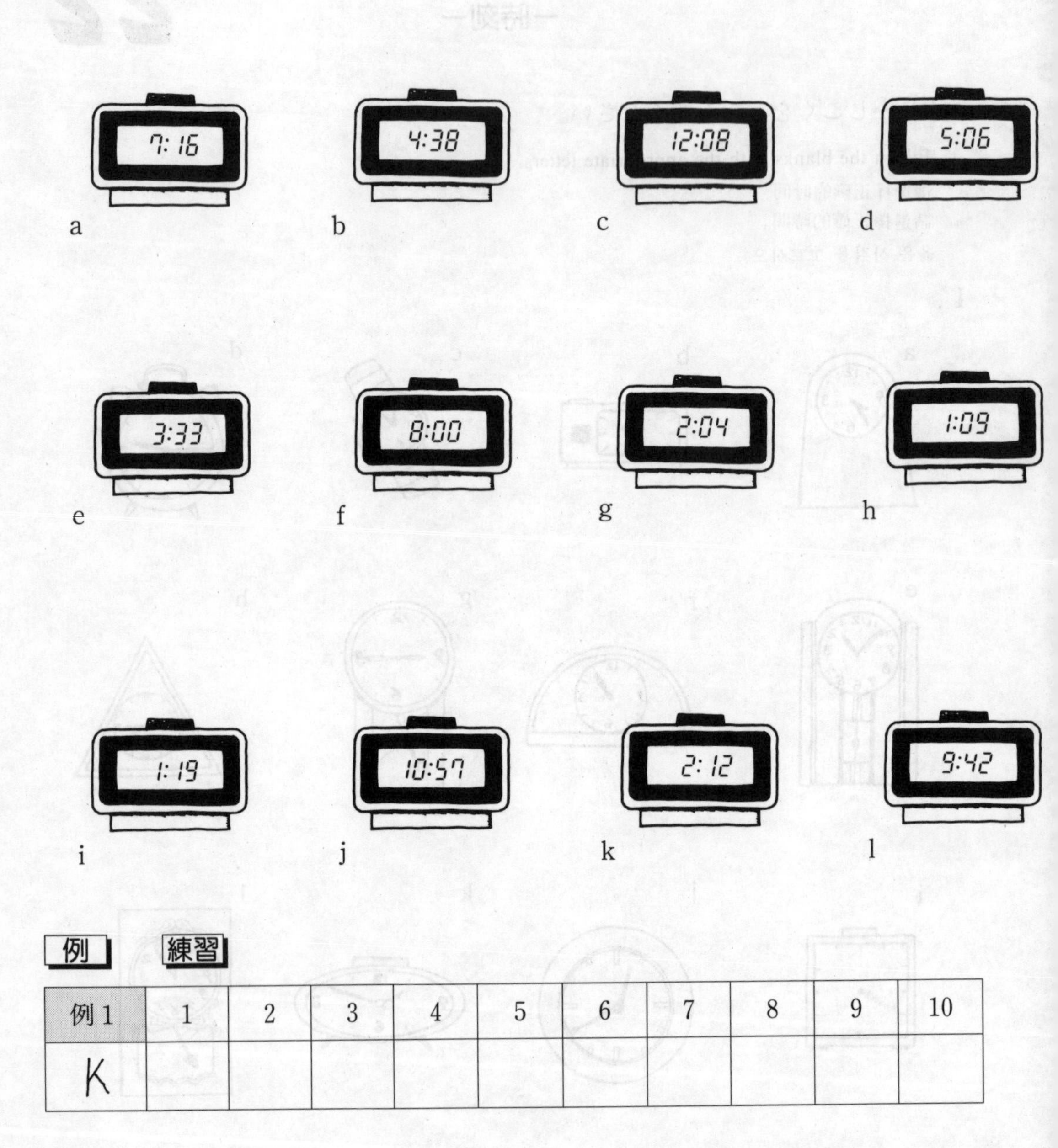

例　練習

例1	1	2	3	4	5	6	7	8	9	10
K										

10時からです

23

ー時刻＋「から」「まで」「に」「ごろ」ー

れいのようにしるしを入(い)れてください。

Using the symbols below, mark the appropriate times.

如例所示，给下列时间划上记号。

請按照例中的方法，給下列的時間加上記號。

예와 같이 기호를 사용하여 적당한 시간을 표시하시오.

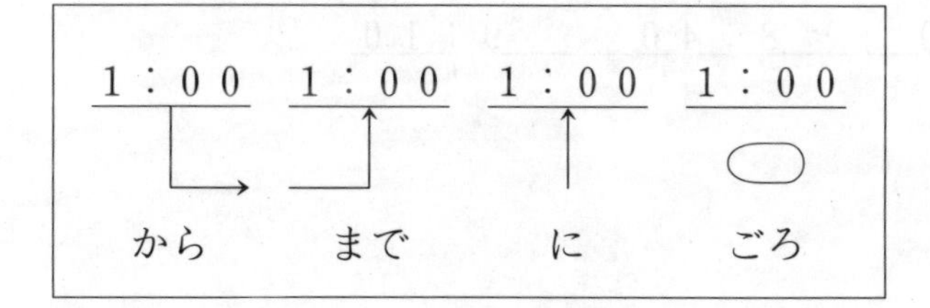

例1　6：00　6：30　7：00　7：30

例2　9：00　10：00　11：00　12：00

例3　10：00　10：30　11：00　11：30

練習

a．　1：00　2：00　3：00　4：00

b．　7：30　8：00　8：30　9：00

c．　11：00　12：00　1：00　2；00

d．　4：00　5：00　6：00　7：00

e．　4：00　5：00　6：00　7：00

➡うらにつづく

f. 5：10　5：40　6：10　6：40

g. 8：00　8：30　9：00　9：30

h. 6：50　7：00　7：10　7：20

i. 11：45　12：15　12：45　1：15

j. 7：40　8：10　8：40　9：10

5 月 3 日

24

—日にち—

正(ただ)しいすうじを書(か)いてください。

Fill in the blanks with the appropriate dates.

请填上正确的数字。

請寫入正確的數字。

옳은 숫자를 쓰시오.

例 12月 23日

練習

a. ____月 ____日

b. ____月 ____日

c. ____月 ____日

d. ____月 ____日

e. ____月 ____日

f. ____月 ____日

g. ____月 ____日

h. ____月 ____日

i. ____月 ____日

j. ____月 ____日

k. ____月 ____日

l. ____月 ____日

m. ____月 ____日

n. ____月 ____日

o. ____月 ____日

p. ____月 ____日

q. ____月 ____日

r. ____月 ____日

s. ____月 ____日

t. ____月 ____日

ちょっと休みたいです 25

―「～たい」「～たくない」―

I．したいと言(い)っていますか、したくないと言(い)っていますか。例(れい)のように○か×か書(か)いてください。

If the person wants to do the action described, put ○ in the blank. If not, put ×.
下图中的人想做下列事情吗？还是不想做？想做时请划O，不想做时请划X。
請判斷圖中的人的意向。他是想做以下的事情，還是不想做？想做的話請劃O，不想做的話請劃X。
하고 싶다고 말하고 있습니까, 하고 싶지 않다고 말하고 있습니까? 하고 싶은 경우는 O, 하고 싶지 않은 경우는 ×표를 하시오.

例

例1	例2
○	×

練習

1	2	3	4	5	6	7	8	9	10

II．てきとうな絵(え)をえらんでください。

Fill in the blanks with the appropriate letters.

请选择正确的图画。

請選擇適當的圖畫。

적당한 그림을 고르시오.

a

b

c

d

e

f

g

h

i

j

k

l

例

例1	例2
b	h

II-1	1	2	3	4	5	6	7	8	9	10

II-2	1	2	3	4	5	6	7	8	9	10

あたまがいたいんです 26

ー「～んです」ー

女の人は「～んです」をつかっていますか。つかっていたら、（　）に○を書いてください。

If the woman says [～んです], put ○ in the blank.
磁带中的女人使用了「～んです」吗？使用了的话，请在括号中划０。
錄音帶中的女人有使用「～んです」嗎？有使用的話請在括弧裏劃０。
여자는「～んです」를 사용하고 있습니까? 사용하고 있다면 （　)속에 ○표를 하시오.

例1　（ ○ ）

例2　（　　）

練習

1.（　　）
2.（　　）
3.（　　）
4.（　　）
5.（　　）
6.（　　）
7.（　　）
8.（　　）
9.（　　）
10.（　　）
11.（　　）
12.（　　）

ここには入らないでください

－「～ないでください」－

27

Ｉ．（　　）に動詞（どうし）の「ない形（けい）」を書（か）いてください。

Fill in the blanks with ［ない］ form of the verbs.

请在括号里填上动词的否定形式。

請在括弧裏填入動詞的否定形。

(　)속에 동사의「ない 형」을 쓰시오.

例　（かえらない　　）

練習

1．（　　　　　　）　　6．（　　　　　　）

2．（　　　　　　）　　7．（　　　　　　）

3．（　　　　　　）　　8．（　　　　　　）

4．（　　　　　　）　　9．（　　　　　　）

5．（　　　　　　）　　10．（　　　　　　）

➡うらにつづく

II．正(ただ)しい絵(え)をえらんでください。

Fill in the blanks with the appropriate letters.

请选择正确的图画。

請選擇正確的圖畫。

옳은 그림을 고르시오.

例　(e)

練習

a

b

c

d

e

f

g

h

i

1．(　　　)　2．(　　　)　3．(　　　)　4．(　　　)

5．(　　　)　6．(　　　)　7．(　　　)　8．(　　　)

えんぴつで書いてもいいですか 28

—「〜てもいい」—

aか、bかえらんでください。

Circle the correct answer: a or b.
请从 a 和 b 中选择正确答案。
請從 a 和 b 中選擇正確的答案。
a, b 중 옳은 것을 고르시오.

例 （ ⓐ　b ）

練習

1. （ a　b ）

2. （ a　b ）

3. （ a　b ）

4. （ a　b ）

5. （ a　b ）

6. （ a　b ）

7. （ a　b ）

8. （ a　b ）

9. （ a　b ）

10. （ a　b ）

すわってもいいですか 29

ー「～てもいいですか」「～ないでください」ー

絵を見てa，b，cの中からえらんでください。

Look at the picture. Fill in the blanks with the appropriate letters.

请看图从 a，b，c 中选择正确答案。

請看圖從 a、b、c 中選擇正確的答案。

그림을 보고 a, b, c 중에서 고르시오.

例1-1　　例1-2

(b)　(a)

練習 1-1.

(　　)

1-2.

(　　)

2-1.

(　　)

2-2.

(　　)

3-1.

(　　)

3-2.

(　　)

4-1.　　4-2.

(　　)　(　　)

5-1.

(　　)

5-2.

(　　)

あいています　30

ー状態の「〜ている」ー

絵を見てa、b、cの中からえらんでください。

Listen to the tape and choose the appropriate answer: a, b or c.

请看图从 a，b，c 中选择正确答案。

請看圖從 a，b，c 中選擇正確的答案。

그림을 보고 a, b, c 중에서 고르시오.

例1

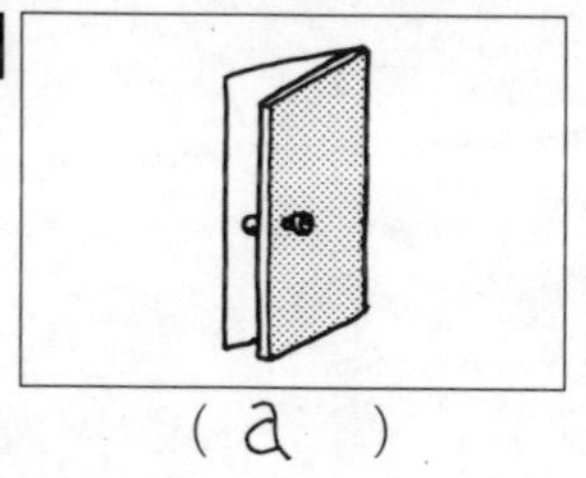

(a)

例2

(b)

練習

1.

(　　)

2.

(　　)

3.

(　　)

4.

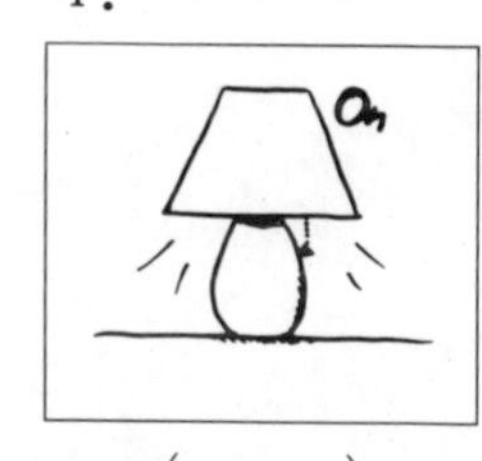

(　　)

5.

(　　)

6.

(　　)

7.

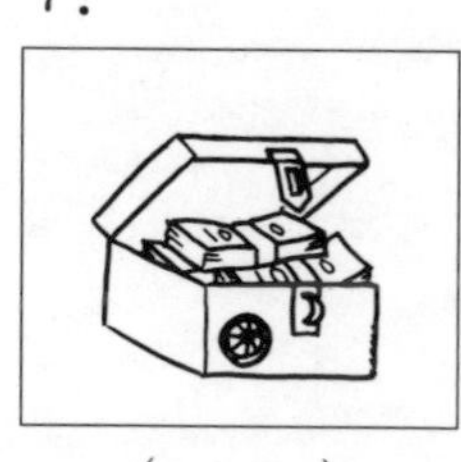

(　　)

8.

(　　)

9.

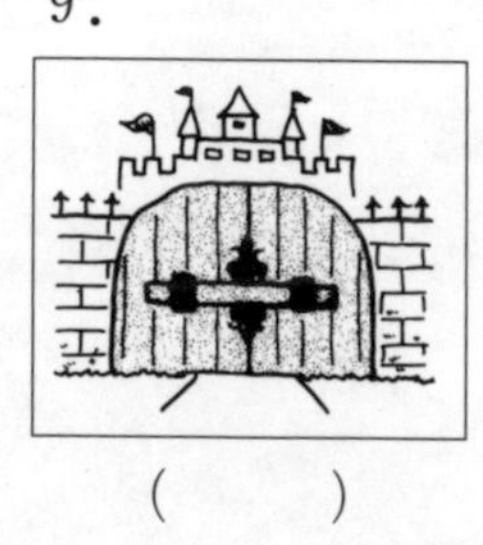

(　　)

10.

(　　)

11.

(　　)

12.

(　　)

しっていますか　31

―「～ている」「まだ～ていない」―

「～ている」「～ていない」が入(はい)っているときは○、入(はい)っていないときは×を書(か)いてください。

If the speaker says either［～ている］or［～ていない］, put ○ in the blank. If not, put ×.
有「～ている」「～ていない」的时候划O，没有的时候划X。
有「～ている」「～ていない」的時候劃O，沒有的時候劃X。
「～ている」「～ていない」가 들어 있는 경우는 O, 들어 있지 않은 경우는 ×표를 하시오.

例　男(おとこ)（ ○ ）
　　　女(おんな)（ × ）

練習

1. 男(おとこ)（　　）
   女(おんな)（　　）
2. 男(おとこ)（　　）
   女(おんな)（　　）
3. 男(おとこ)（　　）
   女(おんな)（　　）
4. 男(おとこ)（　　）
   女(おんな)（　　）
5. 男(おとこ)（　　）
   女(おんな)（　　）
6. 男(おとこ)（　　）
   女(おんな)（　　）
7. 男(おとこ)（　　）
   女(おんな)（　　）
8. 男(おとこ)（　　）
   女(おんな)（　　）
9. 男(おとこ)（　　）
   女(おんな)（　　）
10. 男(おとこ)（　　）
    女(おんな)（　　）
11. 男(おとこ)（　　）
    女(おんな)（　　）
12. 男(おとこ)（　　）
    女(おんな)（　　）
13. 男(おとこ)（　　）
    女(おんな)（　　）
14. 男(おとこ)（　　）
    女(おんな)（　　）

車をもっていますか 32

―「～ている」「～ていない」―

「～ている」「～ていない」が入(はい)っているときは○、入(はい)っていないときは×を書(か)いてください。

If the speaker says either ［～ている］ or ［～ていない］, put ○ in the blank. If not, put ×.
有「～ている」「～ていない」的时候划O，没有的时候划X。
有「～ている」「～ていない」的時候劃O，没有的時候劃X。
「～ている」「～ていない」가 들어 있는 경우는 O, 들어 있지 않은 경우는 ×표를 하시오.

例
男(おとこ)（ ○ ）
女(おんな)（ ○ ）

練習

1. 男(おとこ)（　　）
   女(おんな)（　　）
2. 男(おとこ)（　　）
   女(おんな)（　　）
3. 男(おとこ)（　　）
   女(おんな)（　　）
4. 男(おとこ)（　　）
   女(おんな)（　　）
5. 男(おとこ)（　　）
   女(おんな)（　　）
6. 男(おとこ)（　　）
   女(おんな)（　　）
7. 男(おとこ)（　　）
   女(おんな)（　　）
8. 男(おとこ)（　　）
   女(おんな)（　　）
9. 男(おとこ)（　　）
   女(おんな)（　　）
10. 男(おとこ)（　　）
    女(おんな)（　　）
11. 男(おとこ)（　　）
    女(おんな)（　　）
12. 男(おとこ)（　　）
    女(おんな)（　　）
13. 男(おとこ)（　　）
    女(おんな)（　　）
14. 男(おとこ)（　　）
    女(おんな)（　　）
15. 男(おとこ)（　　）
    女(おんな)（　　）

先生はいつ日本にいらっしゃいましたか 33

ー尊敬語(1)不規則形ー

先生と学生が話しています。学生が使っている尊敬語はどの動詞ですか。下からえらんで、書いてください。

A student and a teacher are talking, and the student is using the polite verb forms. Fill in the blanks with the dictionary form of the verbs used by the students in the conversation. Choose from the verbs listed below.

老师和学生正在说话。学生所用的敬语是哪一个动词？请从下列词汇中选择，写到括号中去。

老師和學生正在說話，學生所用的敬語的動詞是甚麼？請從以下詞彙中選擇，寫到括弧裏。

선생과 학생이 이야기하고 있습니다. 학생이 쓰고 있는 존경어는 어느 동사입니까? 아래에서 골라 쓰시오.

[いる　いく　くる　たべる　のむ　いう　みる　する]

例 くる

練習

1. 行く
2. する
3. 来る
4. 飲む
5. 見る
6. 食べる
7. 言う

先生はすぐいらっしゃいますよ

—尊敬語(2)不規則形—

事務室の人と学生が先生について話しています。どの動詞の尊敬語を使っていますか。下からえらんで書いてください。

A student and a clerk at the school are talking about the teacher. The student is using the polite form. Fill in the blanks with the dictionary form of the verbs used by the students in the conversation. Choose from the verbs listed below.

办公室的人和学生正在谈论老师。他们使用了哪个动词的敬语？请从下列词汇中选择，写到括号中去。

辦公室的人和學生正在談論老師。他們使用什麼動詞的敬語？請從以下詞彙中選擇，寫到括弧裏。

사무실의 사람과 학생이 선생에 대해서 이야기하고 있습니다. 어느 동사의 존경어를 사용하고 있습니까? 아래에서 골라 쓰시오.

［いる　いく　くる　たべる　のむ　いう　みる　する］

例　くる

練習

1. ＿＿＿＿

2. ＿＿＿＿

3. ＿＿＿＿

4. ＿＿＿＿

5. ＿＿＿＿

6. ＿＿＿＿

7. ＿＿＿＿

おなかがいたいんです　35

ー体の部位ー

どこがよくないですか。正(ただ)しいものを選(えら)んでください。

Where does it hurt? Fill in the blanks with the appropriate letters.

下面的人什么地方不舒服？请选择正确答案。

下面的人甚麼地方不舒服？請選擇正確的答案。

어디가 아픕니까? 옳은 것을 고르시오.

例　（ e ）

1.（　　）　2.（　　）　3.（　　）　4.（　　）

5.（　　）　6.（　　）　7.（　　）　8.（　　）

9.（　　）

かぜをひいたので病院へ行きます 36

―「～ので」―

会話を聞いてください。そのあとで、正しい文をa、b、cから選んでください。

Listen to the conversation. Circle the appropriate answer: a, b or c.

请听会话，然后从a、b，c中选择正确答案。

請聽會話，然後從a，b，c中選擇正確的答案。

회화를 듣고 a, b, c 가운데 옳은 문장을 고르시오.

例 (a b ⓒ)

練習

1. (a b c)

2. (a b c)

3. (a b c)

4. (a b c)

5. (a b c)

6. (a b c)

きょうはおそくなると言っていました 37

ー「～と言う」「～って言う」ー

サリーさんは何(なん)と言(い)いましたか。下(した)から選(えら)んでください。

What did Sally say? Fill in the blanks with the appropriate letters.

莎莉说了什么？请从下列答案中选择正确答案。

莎莉說了甚麼話？請從下面選擇正確答案。

사리상은 뭐라고 말했습니까? 아래에서 고르시오.

例 (i)

練習

a．元気(げんき)です。

b．たのしかったです。

c．あした会(あ)いたいです。

d．国(くに)へかえります。

e．２時間(じかん)まちました。

f．２時(じ)にかえった。

g．さようなら。

h．どうぞよろしく。

i．おそくなります。

j．駅(えき)についた。

k．どうもありがとう。

1．(　　)　2．(　　)　3．(　　)　4．(　　)

5．(　　)　6．(　　)　7．(　　)　8．(　　)

9．(　　)　10．(　　)

小さい、高い、しずかな、げんきな

38

－名詞修飾(1)「い」形容詞と「な」形容詞－

I．絵を見ながらテープを聞いて（　　　）に形容詞を書いてください。

Listen to the tape while looking at the picture. Fill in the blanks with the appropriate adjectives.

一边看图一边听录音，在括号里填上形容词。

請一邊看圖一邊聽錄音帶，在括弧裏填入形容詞。

그림을 보면서 테이프를 듣고 ( )속에 형용사를 쓰시오.

例（たかい）やま

練習

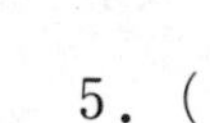

1．（　　　　　）みち

2．（　　　　　）かみ

3．（　　　　　）へや

4．（　　　　　）ビル

5．（　　　　　）もんだい

6．（　　　　　）まち

7．（　　　　　）えいが

8．（　　　　　）テーブル

II．（　　）に「い」か「な」か「の」を書(か)いてください。いらないときは、×を入(い)れてください。

Fill in the blanks with［い］,［な］or［の］, as appropriate. If［い］,［な］or［の］are unnecessary, write × in the blank.

请在下面括号里填上「い」,「な」或者「の」。不需要填的地方划Ｘ。

請在下面括弧裏填入「い」,「な」,「の」。不需要的地方填入Ｘ。

(　)속에「い」나「な」나「の」를 쓰시오. 필요 없는 경우는 ×표를 하시오.

例 やさし（ い ）テスト

練習

1．げんき（　　）こども

2．ゆうめい（　　）大学(だいがく)

3．みどり（　　）バッグ

4．おいし（　　）コーヒー

5．しずか（　　）店(みせ)

6．せま（　　）道(みち)

7．大(おお)き（　　）セーター

8．きれい（　　）花(はな)

9．うるさい（　　）人(ひと)

10．おもしろ（　　）えいが

アメリカのほうが日本より広いです 39

ー形容詞の比較ー

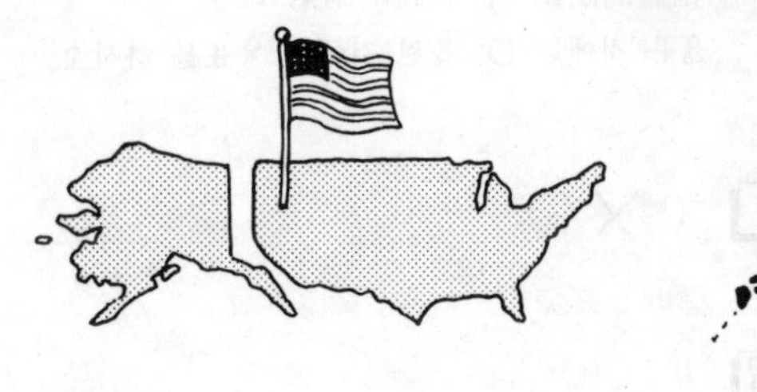

Ⅰ．aかbか選んでください。

Select the appropriate answer: a or b.
请选择 a 或者 b。
請選擇 a 或者 b。
a나 b를 고르시오.

例　(ⓐ. アメリカ　b．日本) のほうが広いです。

練習

1．(a．でんしゃ　b．タクシー) のほうがはやいです。

2．(a．とうきょう　b．きょうと) のほうがにぎやかです。

3．(a．うどん　b．そば) のほうがおいしいです。

4．(a．つき　b．ちきゅう) のほうが大きいです。

5．(a．あか　b．あお) のほうがいいです。

6．(a．とうきょう　b．パリ) のほうがさむいです。

7．(a．ロンドン　b．とうきょう) のほうがぶっかが高いです。

8．(a．じてんしゃ　b．車) のほうがべんりです。

9．(a．今週　b．来週) のほうがひまです。

10．(a．これ　b．あれ) のほうがおいしいです。

II．正しいものには○、まちがっているものには×を書いてください。

If the statement is correct, write ○ in the blank. If the statement is false, write ×.

正确的划O，错误的划X。

正確的請劃O，錯誤的請劃X。

옳은 것에는 O, 틀린 것에는 ×표를 하시오.

例 （ × ）

練習

1．（　　）

2．（　　）

3．（　　）

4．（　　）

5．（　　）

6．（　　）

アリ（21さい）　田中（21さい）　ピーター（18さい）　サリー（28さい）　木村（25さい）

もうお買いになりましたか

ー尊敬語(3)規則形「お～になる」「お～ください」ー

女の人の使っている動詞の辞書形を書いてください。

Fill in the blank with the dictionary form of the verb used by the woman.

请在括号中填上磁带中的女人所用的动词的原形。

請在括弧裏填入錄音帶中的女人所使用的動詞的原形。

여자가 사용하고 있는 동사의 원형을 쓰시오.

例1 （ かう ）　　**例2** （つかう）

練習

1.（　　　　）

2.（　　　　）

3.（　　　　）

4.（　　　　）

5.（　　　　）

6.（　　　　）

7.（　　　　）

8.（　　　　）

9.（　　　　）

10.（　　　　）

この家はやねがチョコレートです

ー「～は～が～」ー

右(みぎ)と左(ひだり)のことばを線(せん)でむすんでください。

Match the words on the left with the appropriate word on the right.

请把左右两边的词用线连起来。

請把左右兩邊的詞用線連接起來。

오른쪽과 왼쪽의 낱말을 선으로 연결시키시오.

例

この（家）は　やね ・ ― ・チョコレートだ

練習

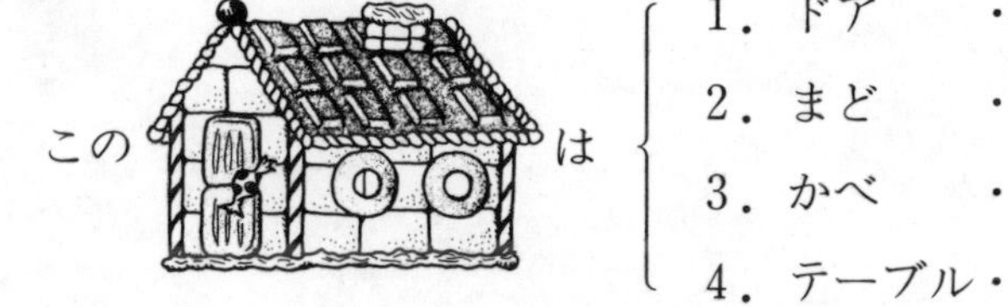

この　は

1. ドア ・
2. まど ・
3. かべ ・
4. テーブル ・

・ビスケットだ
・キャンディーだ
・チョコレートだ
・おせんべいだ
・ドーナツだ

私(わたし)の　は

5. 目(め) ・
6. 足(あし) ・
7. かみ ・

・ちいさい
・すくない
・みじかい
・おおきい

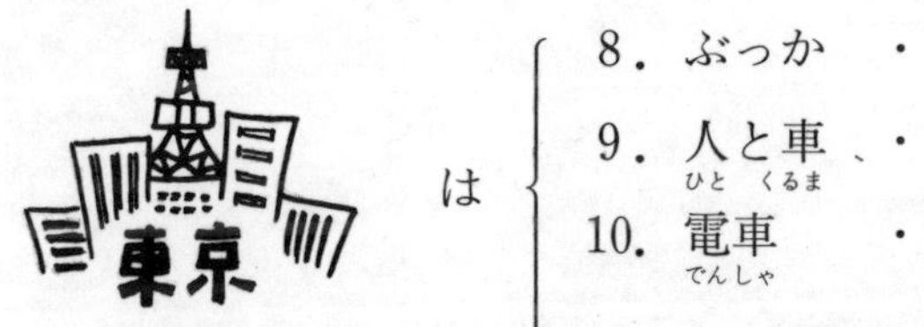

は

8. ぶっか ・
9. 人(ひと)と車(くるま)、・
10. 電車(でんしゃ) ・

・すくない
・べんりだ
・多(おお)い
・高(たか)い

この　は

11. ポケット ・
12. そで ・
13. デザイン ・

・あまりよくない
・長(なが)い
・みじかい
・たくさんある

あした雨がふったらへやで勉強します

―「～たら」―

aかbか選(えら)んでください。

Circle the appropriate answer: a or b.

请选择 a 或者 b。

請選擇 a 或者 b。

a나 b를 고르시오.

 例 （ a  ⓑ ）

練習

1. （ a b ）

2. （ a b ）

3. （ a b ）

4. （ a b ）

5. （ a b ）

6. （ a b ）

7. （ a b ）

8. （ a b ）

9. （ a b ）

10. （ a b ）

むずかしいと思います 43

―「～と思う」―

すずきさんが意見(いけん)を言(い)います。ａかｂか選(えら)んでください。

Listen to Suzuki-san. What does he think? Circle the appropriate answer: a or b.
铃木先生发表了他的意见。请从 a 和 b 中选择正确答案。
鈴木先生敍述他的意見，請從 a 和 b 中選擇正確的答案。
스즈끼상이 의견을 말합니다. a나 b를 고르시오.

例

ⓐ. むずかしい ｝と思(おも)います。
b．むずかしいだ

1．
a．来(く)る ｝と思(おも)います。
b．来(き)ます

2．
a．いい ｝と思(おも)います。
b．いいだ

3．
a．いない ｝と思(おも)います。
b．いないだ

4．
a．げんき ｝と思(おも)います。
b．げんきだ

5．
a．結婚(けっこん)していません ｝と思(おも)います。
b．結婚(けっこん)していない

6．
a．あいています ｝と思(おも)います。
b．あいている

7．
a．休(やす)み ｝と思(おも)います。
b．休(やす)みだ

8．
a．よくない ｝と思(おも)います。
b．よくないだ

9．
a．かえる ｝と思(おも)います。
b．かえった

10．
a．たべもの ｝と思(おも)います。
b．たべものだ

右にまがるとありますよ

―条件の「～と」と道順―

44

絵を見て、a、b、cの中から選んでください。

In the following pictures, circle the appropriate location: a, b, or c.

看图从 a、b、c 中选择正确答案。

請看圖從 a、b、c 中選擇正確的答案。

그림을 보고 a, b, c중에서 고르시오.

例

練習

1．

2．

3．

4．

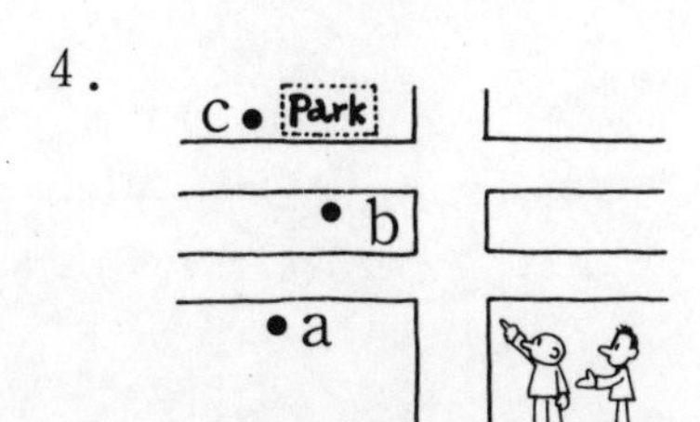

5．

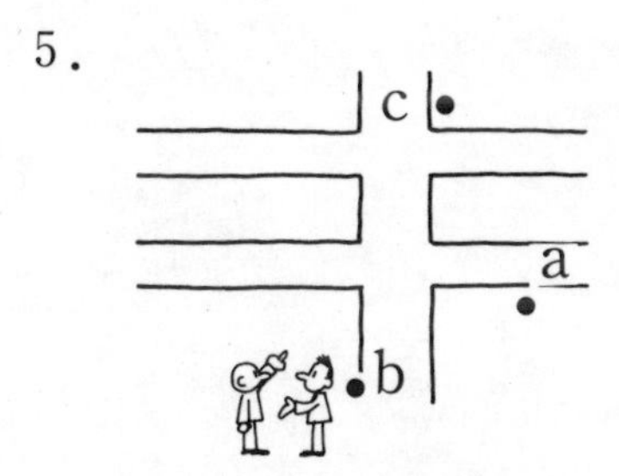

6．

7．

8．

はやく帰ったほうがいいですよ

ー「〜たほうがいい」「〜ないほうがいい」ー

女(おんな)の人(ひと)はどんなアドバイスをしましたか。適当(てきとう)な方(ほう)を選(えら)んでください。

What is the woman's advice ? Circle the appropriate answer.

磁带中的女人提了哪些建议？请选择适当的答案。

錄音帶中的女人作了什麼勸告？請選擇正確的答案。

여자는 어떤 어드바이스를 했습니까? 적당한 것을 고르시오.

例1　はやく｛(帰(かえ)る)／帰(かえ)らない｝

例2　それを｛買(か)う／(買(か)わない)｝

練習

1. ドアを｛しめる／しめない｝
2. 車(くるま)で｛行(い)く／行(い)かない｝
3. 田中(たなか)さんに｛見(み)せる／見(み)せない｝
4. コンピュータを｛つかう／つかわない｝
5. まどを｛あける／あけない｝
6. 英語(えいご)で｛せつめいする／せつめいしない｝
7. いま｛きめる／きめない｝
8. 早(はや)く｛おきる／おきない｝
9. この本屋(ほんや)で｛ちゅうもんする／ちゅうもんしない｝
10. はやく｛よやくする／よやくしない｝

おきてからコーヒーを飲みました

―「～てから」「～たあとで」「～るまえに」―

テープを聞(き)いて、順番(じゅんばん)を（　）に書(か)いてください。

Listen to the tape. Fill in the blanks with 1 or 2 to show which action occurs first, and which second.

请听录音，在括号里填上顺序号码。

請聽錄音帶，並在括弧裏填入順序號碼。

테이프를 듣고, 순서를 (　)속에 쓰시오.

例1

（ / ）　（ 2 ）

例2

（ 2 ）　（ / ）

練習

1.

（　　）　（　　）

2.

（　　）　（　　）

3.

（　　）　（　　）

4.

（　　）　（　　）

5.

（　　）　（　　）

6.

（　　）　（　　）

➡うらにつづく

7.

(　　)　(　　)

8.

(　　)　(　　)

9.

Univ.

(　　)　(　　)

10.

On

(　　)　(　　)

何をしていますか

47

ー進行の「～ている」ー

A～Hのどの人(ひと)ですか。選(えら)んでください。

Fill in the blanks with the appropriate letters.

从A～H中选择正确的人并填上相应的字母。

請選擇正確的人並填入對應字母。

A~H중 알맞는 사람을 고르시오.

例　練習

例	1	2	3	4	5	6	7
A							

すずきさんがくれました

―授受動詞(2)「あげる」「もらう」「くれる」「さしあげる」「いただく」「くださる」―

これはサリーさんと山田さんの会話です。(　)に←か→を書いてください。

The following are several dialogues between sally-san and Yamada-san. In each blanks, draw the appropriate arrows.

请在括号里划←或者→。

請在括弧裏劃←或者→。

(　)속에 ←나→를 표하시오.

例 サリー (←――) すずき

練習

1. サリー (　　　) ボーイフレンド
2. 山田 (　　　) 田中
3. 山田 (　　　) サリー
4. サリー (　　　) すずき
5. 山田 (　　　) 木村先生
6. サリー (　　　) 木村先生
7. サリー (　　　) 木村先生
8. サリー (　　　) 山田
9. 山田 (　　　) サリー
10. 山田 (　　　) サリー

山田さんが行ったきっさてんです

49

ー名詞修飾(2)ー

(　　) にaかbか書(か)いてください。

Fill in the blanks with the appropriate answers: a or b.

请在括号里填入 a 或者 b。

請在括弧裏填入 a 或者 b。

( )속에 a나 b를 쓰시오.

例

(a)

練習

1.

(　　)

2.

(　　)

3.

(　　)

4.

(　　)

5.

(　　)

6.

(　　)

7.

(　　)

駅前でバスをおります 50

―助詞＋動詞―

テープを聞いてからaかbか選んでください。その後で確かめてください。

Listen to the tape and select the appropriate answer: a or b. Then check your answers.

听完录音后，请选择 a 或者 b，然后检查是否正确。

聽完錄音帶後，請選擇 a 或者 b。然後檢查是否正確。

테이프를 듣고 a나 b를 고르시오. 그 후 확인하시오.

例1 (a.) おります。
b．のります。

例2 a．おります。
(b.) のります。

練習

1．a．のりました。
b．行きました。

2．a．よびました。
b．のりました。

3．a．います。
b．会います。

4．a．会いました。
b．見ました。

5．a．そうだんしました。
b．行きました。

6．a．テニスしました。
b．あるきました。

7．a．あります。
b．わたってください。

8．a．あります。
b．わたってください。

9．a．見つけました。
b．入りました。

10．a．かしてください。
b．かいてください。

11．a．かしてください。
b．かいてください。

12．a．よみました。
b．ありました。

➡うらにつづく

13. a. 見(み)つけました。
b. もらいました。

14. a. きれいになりました。
b. きれいにしました。

15. a. きえましたよ。
b. けしましたよ。

16. a. きえました。
b. けしました。

17. a. 高(たか)くなりました。
b. 高(たか)くしました。

18. a. 少(すく)なくなりました。
b. 少(すく)なくしました。

田中さんが日本語をおしえてくれました

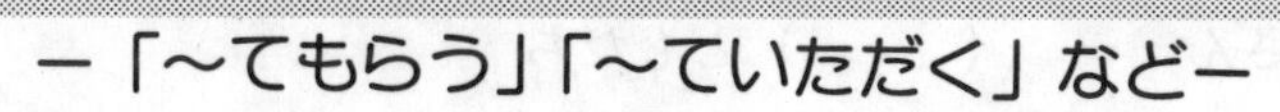

ー「～てもらう」「～ていただく」などー

してもらった人(ひと)に○をつけてください。

Put ○ in the blank to show the recipient(or beneficiary) of the action.

谁为自己做了这件事？划０表示。

請劃０於接受對方動作的人。

해 받은 사람에게 ○표를 하시오.

例1　(　　)田中(たなか)さん　ー　(　○　)わたし

例2　(　○　)田中(たなか)さん　ー　(　　)サリーさん

練習

1. (　　)アリさん　ー　(　　)田中(たなか)さん
2. (　　)アリさん　ー　(　　)田中(たなか)さん
3. (　　)先生(せんせい)　ー　(　　)わたし
4. (　　)先生(せんせい)　ー　(　　)わたし
5. (　　)田中(たなか)さん　ー　(　　)わたし
6. (　　)田中(たなか)さん　ー　(　　)サリーさん
7. (　　)いもうと　ー　(　　)田中(たなか)さん
8. (　　)いもうと　ー　(　　)田中(たなか)さん
9. (　　)母(はは)　ー　(　　)わたし
10. (　　)母(はは)　ー　(　　)わたし
11. (　　)先生(せんせい)　ー　(　　)わたし
12. (　　)先生(せんせい)　ー　(　　)わたし

➡うらにつづく

13. (　　　) 先生(せんせい) ー (　　　) わたし

14. (　　　) 田中(たなか)さん ー (　　　) ともだち

15. (　　　) 田中(たなか)さん ー (　　　) ともだち

16. (　　　) ともだち ー (　　　) わたし

サリーさんは漢字が100読めます 52

ー可能形ー

動詞が可能形のときは○を書いてください。

Listen to the tape. If the verb is in the potential form, put ○ in the blank.

请在动词的可能形的地方划O。

請聽錄音帶，在動詞是可能形的地方劃O。

동사가 가능형인 경우는 O표를 하시오.

例1 （ ○ ）

例2 （ 　 ）

練習

1．（ 　 ）
2．（ 　 ）
3．（ 　 ）
4．（ 　 ）
5．（ 　 ）
6．（ 　 ）
7．（ 　 ）
8．（ 　 ）
9．（ 　 ）
10．（ 　 ）
11．（ 　 ）
12．（ 　 ）
13．（ 　 ）
14．（ 　 ）
15．（ 　 ）

作ってくれませんか

―依頼の「～てもいいか」「～てくれるか」など―

53

男の人がしますか。女の人がしますか。する方に○を書いてください。

Who performs the action, the man or the woman? Put ○ in the blank to indicate the actor.

是男人做还是女人做？划○表示出来。

是男的做還是女的做？請劃○表示。

남자가 합니까? 여자가 합니까? 동작을 행하는 쪽에 ○표를 하시오.

	男	女
例	(○)	(　　)

練習

	男	女
1.	(　　)	(　　)
2.	(　　)	(　　)
3.	(　　)	(　　)
4.	(　　)	(　　)
5.	(　　)	(　　)
6.	(　　)	(　　)
7.	(　　)	(　　)
8.	(　　)	(　　)
9.	(　　)	(　　)
10.	(　　)	(　　)
11.	(　　)	(　　)
12.	(　　)	(　　)
13.	(　　)	(　　)
14.	(　　)	(　　)
15.	(　　)	(　　)

食べてみてください

54

―「～てみる」―

「～てみる」の前の動詞をa、b、cの中から選んでください。

Listen to the tape. Circle the verb used with [～てみる]: a, b or c.

请在 a, b, c 中选择「～てみる」前面的动词。

請在 a, b, c 中選擇「～てみる」前面的動詞。

「～てみる」앞의 동사를 a, b, c 중에서 고르시오.

例
a．とって
(b.) たべて　　みる
c．たって

練習

1．a．きいて
　　b．きって　　みる
　　c．きて

2．a．すって
　　b．して　　みる
　　c．しって

3．a．のんで
　　b．ぬいで　　みる
　　c．のって

4．a．おいて
　　b．あいて　　みる
　　c．あけて

5．a．あって
　　b．いって　　みる
　　c．いて

6．a．しらべて
　　b．くらべて　　みる
　　c．しらないで

7．a．きて
　　b．きって　　みる
　　c．きいて

8．a．すわって
　　b．つくって　　みる
　　c．つかって

ふくしゅうをしておきます 55

ー「〜てある」「〜ておく」ー

女の人は「〜てある」を使いましたか。「〜ておく」を使いましたか。

Does the woman say ［〜てある］ or ［〜ておく］? Circle the appropriate answers.

磁带中的女人使用了「〜てある」还是「〜ておく」?

錄音帶中的女人使用了「〜てある」還是「〜ておく」? 請圈出正確的答案。

여자는「〜てある」를 사용했습니까.「〜ておく」를 사용했습니까?

例 （〜てある ・ ◯〜ておく）

練習

1. （〜てある ・ 〜ておく）
2. （〜てある ・ 〜ておく）
3. （〜てある ・ 〜ておく）
4. （〜てある ・ 〜ておく）
5. （〜てある ・ 〜ておく）
6. （〜てある ・ 〜ておく）
7. （〜てある ・ 〜ておく）
8. （〜てある ・ 〜ておく）
9. （〜てある ・ 〜ておく）
10. （〜てある ・ 〜ておく）

映画を見てきました 56

―「～てくる」「～ていく」―

Ⅰ.「～てくる」と言っていますか、「～ていく」と言っていますか。どちらかに○を書いてください。

Put ○ in the blank to indicate whether the speaker says [～てくる] or [～ていく]

是「～てくる」还是「～ていく」？ 请划○表示。

是「～てくる」還是「～ていく」？ 請劃○表示。

「～てくる」나「～ていく」에 ○표를 하시오.

練習

	例1	例2	1	2	3	4	5	6	7	8	9	10
てくる	○											
ていく		○										

Ⅱ. 女の人の言っている動作は、a、b、cのどの意味ですか。選んでください。

Listen to the tape. Which picture, a, b or c, fits the woman's description?

磁带中的女人所说的话是什么意思，请在a、c中选择。

女人所說的話是甚麼意思，請從a到c中選擇。

여자가 말하고 있는 것은 a~c의 어느 의미입니까?

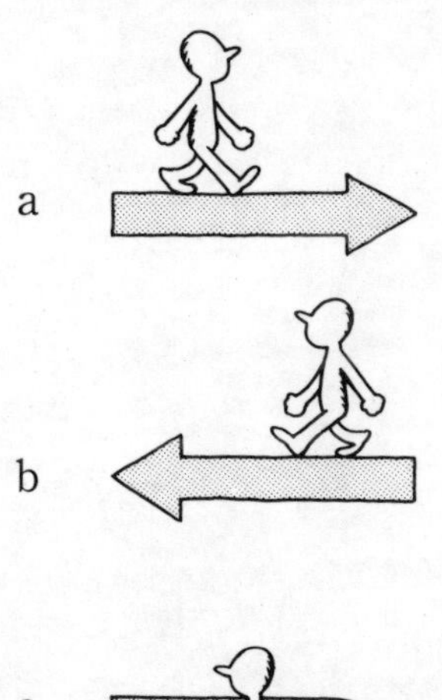

例 (a)

練習

1. (　　)
2. (　　)
3. (　　)
4. (　　)
5. (　　)
6. (　　)
7. (　　)
8. (　　)
9. (　　)
10. (　　)

だれが来ましたか　57

―「だれが」「だれか」「だれも」など―

女の人はどちらを使いましたか。ａかｂか選んでください。

Which expression does the woman use: a or b? Circle the appropriate answer.

磁带中的女人讲话中用了哪个词？请从 a 或者 b 中选择。

錄音帶中的女人用了哪個詞？請從 a，b 中選擇。

여자는 a와 b중 어느 쪽을 말하고 있습니까? 옳은 답을 고르시오.

例１　(ａ．) だれが
　　　ｂ．だれか

例２　ａ．だれが
　　　(ｂ．) だれか

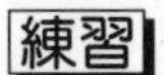

1．ａ．だれが
　　ｂ．だれか

2．ａ．だれが
　　ｂ．だれか

3．ａ．だれか
　　ｂ．だれを

4．ａ．だれが
　　ｂ．だれか

5．ａ．だれが
　　ｂ．だれか

6．ａ．なにが
　　ｂ．なにか

7．ａ．なにが
　　ｂ．なにか

8．ａ．どこか
　　ｂ．どこへ

9．ａ．どっか
　　ｂ．どこへ

10．ａ．どっちを
　　ｂ．どっちか

11．ａ．どっちか
　　ｂ．どっちを

12．ａ．なにが
　　ｂ．なにか

13．ａ．なにが
　　ｂ．なにか

14．ａ．どれが
　　ｂ．どれか

15．ａ．どれが
　　ｂ：どれか

本を読もうと思うんだ

―「～(よ)うと思う」―

男の人は何をしようと思っていますか。（　　）に動詞の辞書形を書いてください。

What is the man planning to do? Write the dictionary form of the verb in the blank.

磁带中的男人想做什么？请在括号中填入动词的原形。

錄音帶中的男人在想甚麼？請把動詞原形填入括弧裏。

남자는 무엇을 하고자 합니까? ( )속에 동사의 원형을 쓰시오.

例　（ よむ ）

練習

1. （　　　　　）
2. （　　　　　）
3. （　　　　　）
4. （　　　　　）
5. （　　　　　）
6. （　　　　　）
7. （　　　　　）
8. （　　　　　）
9. （　　　　　）
10. （　　　　　）
11. （　　　　　）
12. （　　　　　）

たくさん食べろと言っていました

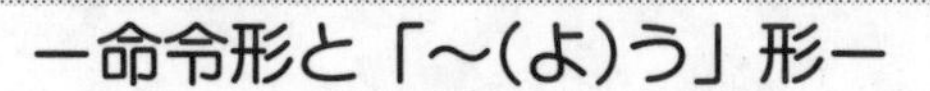

ー命令形と「〜(よ)う」形ー

命令形ですか。「〜(よ)う」形ですか。○を書いてください。

Put ○ in the appropriate column to show whether the imperative or [〜(よ)う] form is used.
是命令形还是「〜(よ)う」形？请划O表示。
是命令形還是「〜(よ)う」形？請劃O表示。
명령형입니까?「〜(よ)う」형 입니까? O표를 하시오.

		命令形	〜(よ)う形
例	例1	○	
	例2		○
練習	1		
	2		
	3		
	4		
	5		
	6		
	7		
	8		
	9		
	10		

山田さんは田中さんが買った本を読みました 60

ー名詞修飾(3)ー

山田(やまだ)さんは何(なに)をしましたか。aかbか選(えら)んでください。

What did Yamada-san do ? Circle the appropriate answer: a or b.

山田先生做了什么？请从a或者b中选择。

山田做了甚麼？請從a和b中選擇。

야마다상은 무엇을 했습니까? a나 b를 고르시오.

例

a．本(ほん)を買(か)いました。

(b.) 本(ほん)を読(よ)みました。

練習

1．a．ケーキを食(た)べました。
　 b．ケーキを作(つく)りました。

2．a．レポートを読(よ)みました。
　 b．レポートを書(か)きました。

3．a．しゃしんをとりました。
　 b．しゃしんを見(み)ました。

4．a．ワインを飲(の)みました。
　 b．ワインを買(か)ってきました。

5．a．テープをなくしました。
　 b．テープをくれました。

6．a．じてんしゃをなおしました。
　 b．じてんしゃにのりました。

7．a．くつを買(か)いました。
　 b．デパートへ行(い)きました。

8．a．人(ひと)に会(あ)いました。
　 b．英語(えいご)を教(おし)えました。

9．a．じしょをかしました。
　 b．じしょをなくしました。

10．a．ごはんを食(た)べました。
　 b．食堂(しょくどう)へ行(い)きました。

音楽を聞くのが好きです

ー「〜の」「〜こと」ー

次の文には「の」か「こと」がありますか。選んでください。どちらもないときは「X」を選んでください。

In the following sentences, does the speaker say［の］or［こと］? If so, circle the appropriate one. If not, circle X.

请选择下面的句子中是否使用了「の」或者「こと」? 没有时请划X。

在下面的句子中是否使用了「の」或者「こと」? 請選擇。都沒有的時候請劃X。

다음 문장에「の」나「こと」가 있다면 고르시오. 어느 쪽도 없는 경우는「X」를 고르시오.

例1 （ ⓞ ・ こと ・ X ）

例2 （ の ・ こと ・ ⓧ ）

練習

1. （ の ・ こと ・ X ）
2. （ の ・ こと ・ X ）
3. （ の ・ こと ・ X ）
4. （ の ・ こと ・ X ）
5. （ の ・ こと ・ X ）
6. （ の ・ こと ・ X ）
7. （ の ・ こと ・ X ）
8. （ の ・ こと ・ X ）
9. （ の ・ こと ・ X ）
10. （ の ・ こと ・ X ）
11. （ の ・ こと ・ X ）
12. （ の ・ こと ・ X ）
13. （ の ・ こと ・ X ）
14. （ の ・ こと ・ X ）
15. （ の ・ こと ・ X ）
16. （ の ・ こと ・ X ）
17. （ の ・ こと ・ X ）
18. （ の ・ こと ・ X ）

写真をとってほしいんですが

男(おとこ)の人(ひと)がしますか、女(おんな)の人(ひと)がしますか。する方(ほう)に○をかいてください。

Who performs the action, man or woman? Put ○ in the blank to indicate the actor.

是男的做还是女的做？划０表示出来。

是男的做還是女的做？請劃０表示。

남자가 합니까? 여자가 합니까? 동작을 행하는 쪽에 ○표를 하시오.

例1 男(おとこ)（ ○ ）
女(おんな)（　　）

例2 男(おとこ)（　　）
女(おんな)（ ○ ）

練習

1. 男(おとこ)（　　）
女(おんな)（　　）

2. 男(おとこ)（　　）
女(おんな)（　　）

3. 男(おとこ)（　　）
女(おんな)（　　）

4. 男(おとこ)（　　）
女(おんな)（　　）

5. 男(おとこ)（　　）
女(おんな)（　　）

6. 男(おとこ)（　　）
女(おんな)（　　）

7. 男(おとこ)（　　）
女(おんな)（　　）

8. 男(おとこ)（　　）
女(おんな)（　　）

9. 男(おとこ)（　　）
女(おんな)（　　）

10. 男(おとこ)（　　）
女(おんな)（　　）

11. 男(おとこ)（　　）
女(おんな)（　　）

12. 男(おとこ)（　　）
女(おんな)（　　）

さいふをとられたんです

ー受身形(1)ー

次の会話に受身形があるときは○を書いてください。

Is the passive form used in the conversation? If so, put ○ in the blank.

下面对话中是否使用了被动态？请在被动态的地方划○。

以下的會話是否使用了被動態？請在使用了被動態的地方劃○。

다음 회화에 수동형이 사용되고 있는 경우는 ○표를 하시오.

例1 [　　]

例2 [○]

練習

1. [　　]
2. [　　]
3. [　　]
4. [　　]
5. [　　]
6. [　　]
7. [　　]
8. [　　]
9. [　　]
10. [　　]
11. [　　]
12. [　　]

先生にしかられたんだ

64

―受身形(2)―

男の人が使っている動詞の辞書形を書いてください。

Write in the blanks the dictionary form of each verb used in the conversations.

请写出磁带中的男人所用动词的原形。

請寫出錄音帶中的男人所使用的動詞的原形。

남자가 사용하고 있는 동사의 원형을 쓰시오.

例 しかる

練習

1. とる
2. そそわらく
3. こわす
4. とまる
5.
6. おこす
7. かれる
8. ほまる
9. つまる
10. する
11.
12. おわる

サリーさんは先生に呼ばれました

ー受身形(3)ー

だれがしましたか。その人(ひと)に○を書(か)いてください。

Indicate who performed each action with ○ next to the appropriate name.

请划○表示谁做了这件事。

誰做了，請選擇此人的名字。

누가 했습니까? 그 사람에게 ○표를 하시오.

例1 （ ○ ）サリー　（　　）先生(せんせい)　　**例2** （　　）サリー　（ ○ ）先生(せんせい)

練習

1．（　　）サリー　（　　）先生(せんせい)

2．（　　）サリー　（　　）すずき

3．（　　）サリー　（　　）子(こ)ども

4．（　　）サリー　（　　）すずき

5．（　　）サリー　（　　）すずき

6．（　　）サリー　（　　）すずき

7．（　　）サリー　（　　）アリ

8．（　　）サリー　（　　）田中(たなか)

9．（　　）サリー　（　　）田中(たなか)

10．（　　）サリー　（　　）アリ

11．（　　）サリー　（　　）アリ

12．（　　）サリー　（　　）アリ

13．（　　）サリー　（　　）すずき

14．（　　）サリー　（　　）すずき

15．（　　）サリー　（　　）すずき

田中ともうしますが

ー謙譲語(1)不規則形ー

先生と学生の会話を聞いて、どの動詞の謙譲語を使っているか、下から選んで書いてください。

Listen to the conversation between the student and the teacher. The student is using the humble forms of the verbs. Fill in the blanks with the dictionary form of the verbs used by the student. Choose from the verbs listed below.

请听老师和学生的对话。使用了哪个动词的自谦语，从下列词汇中选择，写到括号中去。

老師和學生的對話中，使用了哪個動詞的謙譲語，請從以下詞彙中選擇，寫到括弧裏。

선생과 학생의 회화를 듣고, 어느 동사의 겸양어를 쓰고 있는가, 아래에서 골라 쓰시오.

[いる　いく　くる　たべる　のむ　いう　みる　あう　きく　する]

例 いう

練習

1.

2.

3. 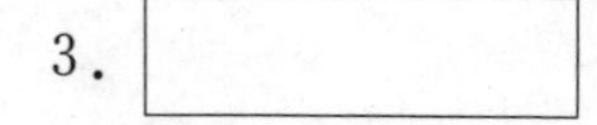

4. 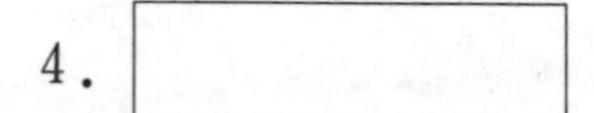

5. 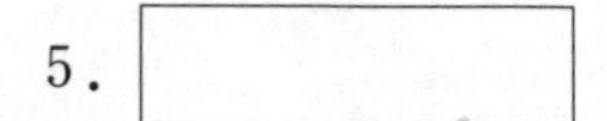

6.

7.

その荷物お持ちします 67

ー謙譲語(2)規則形「お～します」ー

女の人が使っている動詞の辞書形を書いてください。

Write in the blanks the dictionary form of the verbs used by the woman.

请写出磁带中的女人所用动词的原形。

請寫出錄音帶中的女人所使用的動詞的原形。

여자가 사용하고 있는 동사의 원형을 쓰시오.

例1（もつ　）　　例2（まつ　）

練習

1.（消す　）

2.（する　）

3.（　　）

4.（　　）

5.（来る　）

6.（聞く　）

7.（待つ　）

8.（会う　）

9.（　　）

10.（　　）

本をおかりしました

―尊敬語と謙譲語―

次(つぎ)のことは先生(せんせい)がしましたか、学生(がくせい)がしましたか。どちらか選(えら)んでください。

Did the student or the teacher perform the action? Circle the appropriate answer.

下面的事是老师做的还是学生做的？请选择正确答案。

以下的事是老師做的還是學生做的？請選擇正確的答案。

다음 일은 선생이 했습니까, 학생이 했습니까? 어느 쪽인가를 고르시오.

例1 （先生(せんせい)・(学生(がくせい))）

例2 （(先生(せんせい))・学生(がくせい)）

練習

1. （ 先生(せんせい)・学生(がくせい) ）
2. （ 先生(せんせい)・学生(がくせい) ）
3. （ 先生(せんせい)・学生(がくせい) ）
4. （ 先生(せんせい)・学生(がくせい) ）
5. （ 先生(せんせい)・学生(がくせい) ）
6. （ 先生(せんせい)・学生(がくせい) ）
7. （ 先生(せんせい)・学生(がくせい) ）
8. （ 先生(せんせい)・学生(がくせい) ）
9. （ 先生(せんせい)・学生(がくせい) ）
10. （ 先生(せんせい)・学生(がくせい) ）
11. （ 先生(せんせい)・学生(がくせい) ）
12. （ 先生(せんせい)・学生(がくせい) ）
13. （ 先生(せんせい)・学生(がくせい) ）
14. （ 先生(せんせい)・学生(がくせい) ）
15. （ 先生(せんせい)・学生(がくせい) ）

もう京都へ行ったかどうか聞きました

―「～かどうか」「～か」―

「～かどうか」と言っていますか。「～か」と言っていますか。選んでください。

In the following sentences, does the speaker say ［～かどうか］ or ［～か］？ Circle the appropriate answer.

下文中使用了「～かどうか」还是使用了「～か」? 请选择正确答案。

下文使用了「～かどうか」還是使用了「～か」? 請選擇正確的答案。

「～かどうか」인지, 「～か」인지를 고르시오.

例1 (（～かどうか） ・ ～か)　　**例2** (～かどうか ・ （～か）)

練習

1. (～かどうか ・ ～か)
2. (～かどうか ・ ～か)
3. (～かどうか ・ ～か)
4. (～かどうか ・ ～か)
5. (～かどうか ・ ～か)
6. (～かどうか ・ ～か)
7. (～かどうか ・ ～か)
8. (～かどうか ・ ～か)
9. (～かどうか ・ ～か)
10. (～かどうか ・ ～か)

五百円しかありません

ー「～しか… ません」ー

会話を聞いてください。そのあとで、正しい文に○、違う文に×を書いてください。

Listen to the conversation. Then, for the following sentences, draw ○ if the sentence is cerrect, then × if incorrect.

请先听对话，然后在正确的地方划O，错误的地方划X。

請先聽會話，然後正確的劃O，錯誤的劃X。

회화를 듣고 옳은 문장에는 ○, 틀린 문장에는 ×표를 하시오.

例
a.（○）
b.（×）
c.（×）

練習

1. a.（　）
b.（　）
c.（　）

2. a.（　）
b.（　）
c.（　）

3. a.（　）
b.（　）
c.（　）

4. a.（　）
b.（　）
c.（　）

5. a.（　）
b.（　）
c.（　）

6. a.（　）
b.（　）
c.（　）

7. a.（　）
b.（　）
c.（　）

8. a.（　）
b.（　）
c.（　）

9. a.（　）
b.（　）
c.（　）

10. a.（　）
b.（　）
c.（　）

雨がふりそうです

ー様態と伝聞の「～そうだ」ー

次の「～そうです」は人から聞いたことですか、自分の判断ですか。どちらかに○を書いてください。

What is the meaning of the verb「～そうです」in each of the following sentences? Listen to the tape and put ○ in the appropriate column.

以下的「～そうです」是表示从别人那里听到的事情，还是自己的判断？请划○表示。

以下的「～そうです」是表示從別人那裏聽到的事情還是自己的判斷？請劃○表示。

다음의「～そうです」는 다른 사람에게서 들은 것입니까, 자기의 판단입니까? 어느 쪽인지 ○표를 하시 오.

練習

	伝聞 I hear... 传闻 聽聞・傳聞 ～라고 합니다.	様態 It looks like... 样态 樣態 ～인것 같습니다.
例1		○
例2	○	
1		
2		
3		
4		
5		
6		
7		
8		
9		
10		

72 会議は3時からですよ

ー「～ですよ」「～でしょう」ー

「～ですよ」と言(い)っていますか、「～でしょう」と言(い)っていますか。○を書(か)いてください。

Listen to the tape. Does the speaker say [～ですよ] or [～でしょう]? Put ○ in the appropriate column.

请听录音，是「～ですよ」还是「～でしょう」？划○表示。

請聽錄音帶，是「～ですよ」還是「～でしょう」？劃○表示。

「～ですよ」나「でしょう」에 ○표를 하시오.

		～ですよ	～でしょう
例	例1	○	
	例2		○
練習	1	○	
	2	○	
	3		○
	4	○	
	5		○
	6		○
	7	○	
	8	○	
	9	○	
	10		○
	11	○	
	12		○
	13		○
	14	○	

先生はもう帰られました

―尊敬と受身―

女の人が使っている動詞は尊敬の意味ですか、受身の意味ですか。○を書いてください。

Put ○ in the appropriate column to indicate, for each of the woman's statements, whether the verb form she uses express politeness or is simply a grammatical passive.

磁带中的女人所用动词是敬语还是被动态？请划O表示。

錄音帶中的女人是使用了敬語還是使用了被動態？請劃O表示。

여자가 사용하고 있는 동사는 존경의 의미입니까, 수동의 의미입니까. 어느 쪽인지 ○표를 하시오.

		尊敬 Honorific	受身 Passive
例	例1	○	
	例2		○
練習	1		
	2		
	3		
	4		
	5		
	6		
	7		
	8		
	9		
	10		

あのレストランへ行ったことがありますか

―「～たことがある」―

動詞を書いてください。そして、したことがあるかないか選んでください。

First, write the appropriate verb in the blank. Then circle ［ある］ or ［ない］, as appropriate.

在括号中填入动词，然后判断此动作是否已经完成。

請寫入動詞，然後判斷此動作是已經完成了還是沒有完成。選擇正確的答案。

동사를 쓰시오. 그리고 해 본 적이 있는가 없는가를 고르시오.

例

いった＿＿＿＿ことが　(ある)／ない

練習

1．＿＿＿＿＿＿＿＿ことが　ある／ない

2．＿＿＿＿＿＿＿＿ことが　ある／ない

3．＿＿＿＿＿＿＿＿ことが　ある／ない

4．＿＿＿＿＿＿＿＿ことが　ある／ない

5．＿＿＿＿＿＿＿＿ことが　ある／ない

6．＿＿＿＿＿＿＿＿ことが　ある／ない

7．＿＿＿＿＿＿＿＿ことが　ある／ない

8．＿＿＿＿＿＿＿＿ことが　ある／ない

9．＿＿＿＿＿＿＿＿ことが　ある／ない

10．＿＿＿＿＿＿＿＿ことが　ある／ない

日本に来るとき買ったんです 75

―「〜とき」―

どこでしましたか。aかbか選(えら)んでください。

Where did the action take place? Circle the appropriate answer: a or b.

下列的事情是在哪儿干的？请从a或者b中选择。

動作是在哪裏進行的？請劃O表示。

어디서 했습니까? a나 b를 고르시오.

例

a. 日本(にほん)で ／ (b.) じぶんの国(くに)で ― 買(か)いました。

練習

1. a. 日本(にほん)で ／ b. じぶんの国(くに)で ― 買(か)いました。

2. a. バスの中(なか)で ／ b. バスの外(そと)で ― 払(はら)います。

3. a. へやの中(なか)で ／ b. へやの外(そと)で ― 消(け)しました。

4. a. そちらで ／ b. 今(いま)いる所(ところ)で ― 電話(でんわ)します。

5. a. 郵便局(ゆうびんきょく)で ／ b. とちゅうで ― 会(あ)いました。

6. a. メキシコで ／ b. 日本(にほん)で ― 飲(の)みました。

7. a. 日本(にほん)で ／ b. じぶんの国(くに)で ― とりました。

8. a. おふろの中(なか)で ／ b. おふろの外(そと)で ― 練習(れんしゅう)しました。

➡うらにつづく

9. a. 新しい所で
b. 前に住んでいた所で
} あげました。

10. a. 山の上で
b. 山の下で
} もらいました。

よく読めばわかります 76

―条件の「～ば」―

テープを聞いてからaかbか選んでください。その後で確かめてください。

Listen to the tape and circle the appropriate answer: a or b. Then listen again to check your answers.

请听录音，选择 a 或者 b，然后检查答案。

請聽錄音帶，選擇 a 或者 b，然後檢查是否正確。

테이프를 듣고, a나 b를 고르시오. 그 후 확인하시오.

例 ⓐ. わかります。

b．わかりました。

練習

1．a．まだ間に合いますよ。

b．もう間に合いました。

2．a．京都にも行くつもりです。

b．京都にも行ってみました。

3．a．分かるようになりますよ。

b．分かるようになりました。

4．a．おいしそうよ。

b．おいしくなるよ。

5．a．食べてもいいよ。

b．食べてはだめよ。

6．a．はたらくんですが...

b．はたらいてください。

7．a．いいと思いますか。

b．だめだと思いますか。

8．a．わかる。

b．わからない。

9．a．少しすずしくなるんですが。

b．少しすずしくなりましたが。

10．a．もっと好きになると思います。

b．きらいになると思います。

どうしたんですか

77

ー「どうしたんですか」「どうするんですか」などー

質問を聞いてください。そのあとで、2つの答えを聞いて、正しい方を選んでください。

Listen to the question, then select the appropriate answer: a or b.

请先听问题，然后从 a 或者 b 中选择正确答案。

請先聽問題，然後從 a 或者 b 中選擇正確的答案。

질문을 듣고 a인가 b인가, 옳은 답을 고르시오.

例 (ⓐ b)

練習

1. (a b)

2. (a b)

3. (a b)

4. (a b)

5. (a b)

6. (a b)

7. (a b)

8. (a b)

少し話せるようになりました

―「～くなる」「～になる」「～ようになる」―

男の人は何と言っていますか。書いてください。

What is the man saying? Fill in the blanks.

磁带中的男人说了什么？请写在括号中。

錄音帶中的男人在說甚麼？請寫下他所說的話。

남자는 뭐라고 말하고 있습니까?

例1 ええ、日本語の　先生に　なるんです。

例2 ええ、少し　はなせるように　なりましたよ。

練習

1. ほんとう、＿＿＿＿＿＿＿＿なりましたね。
2. ええ、＿＿＿＿＿＿＿＿＿＿なりましたね。
3. ええ、＿＿＿＿＿＿＿＿＿＿＿＿＿＿＿なりました。
4. ええ、＿＿＿＿＿＿＿＿なりました。
5. ええ、＿＿＿＿＿＿＿＿＿＿＿＿＿なりました。
6. ええ、ずいぶん＿＿＿＿＿＿＿＿＿＿なりましたね。
7. ええ、きのうから、＿＿＿＿＿＿＿＿＿＿＿＿＿なりましたよ。
8. ええ、＿＿＿＿＿＿＿＿なりましたよ。
9. あ、＿＿＿＿＿＿＿＿＿＿＿＿なるまで煮るんですね。
10. うん、よく＿＿＿＿＿＿＿＿＿＿＿＿＿＿＿なったよ。

まいにち歩くようにしてください

ー「～ようにしてください」「～てください」ー

「～ようにしてください」と言っていますか、「～てください」と言っていますか。最初にどちらか選んでください。それから、その前の動詞を書いてください。

First, write the appropriate verb in the blank. Then circle [～てください] or [～ようにしてください], as appropriate.

以下对话中使用了「～ようにしてください」还是使用了「～てください」? 请先选择, 然后把前面的动词写出来。

首先請選擇以下會話中是使用了「～ようにしてください」還是使用了「～てください」, 然後把前面的動詞寫出來。

「～ようにしてください」라고 말하고 있습니까,「～てください」라고 말하고 있습니까? 먼저 어느 쪽인가를 고르시오. 그리고 그 앞의 동사를 쓰시오.

I．医者と患者の会話です。

例1 あるく　　ください。／（ようにしてください。）

例2 あるいて　　（ください。）／ようにしてください。

練習

1．＿＿＿＿＿＿　ください。／ようにしてください。

2．＿＿＿＿＿＿　ください。／ようにしてください。

3．＿＿＿＿＿＿　ください。／ようにしてください。

4．＿＿＿＿＿＿　ください。／ようにしてください。

➡うらにつづく

5. ＿＿＿＿＿＿＿＿ ください。
ようにしてください。

6. ＿＿＿＿＿＿＿＿ ください。
ようにしてください。

II. 次(つぎ)は学生(がくせい)と先生(せんせい)の会話(かいわ)です。

1. ＿＿＿＿＿＿＿＿ ください。
ようにしてください。

2. ＿＿＿＿＿＿＿＿ ください。
ようにしてください。

3. ＿＿＿＿＿＿＿＿ ください。
ようにしてください。

4. ＿＿＿＿＿＿＿＿ ください。
ようにしてください。

5. ＿＿＿＿＿＿＿＿ ください。
ようにしてください。

6. ＿＿＿＿＿＿＿＿ ください。
ようにしてください。

忘れないように書いておきます

ー目的の「〜ように」ー

テープを聞いてから、aかbか選んでください。そのあとでテープを聞いて確かめてください。

Listen to the tape and circle the appropriate answer. Then listen again to check your answers.
请听录音，选择 a 或者 b，然后再听录音，检查答案。
聽完錄音帶後，選擇 a 或者 b。然後聽錄音帶中的答案檢查是否正確。
테이프를 듣고, a나 b를 고르시오. 그 후 확인하시오.

例 a．よく知っています。
　　(b.) 書いておきます。

練習

1．a．れんしゅうしました。
　 b．びっくりしました。

2．a．勉強しました。
　 b．たいへんです。

3．a．たくさん食べます。
　 b．あまいものは食べません。

4．a．よくわかりません。
　 b．大きい声で話してください。

5．a．こまりました。
　 b．かばんに入れておきます。

6．a．まどをあけましょう。
　 b．きれいです。

7．a．つかれます。
　 b．コーヒーを飲みます。

8．a．ゆっくり歩きましょう。
　 b．足をけがしました。

9．a．セーターをきました。
　 b．ねつが出ました。

10．a．小さいこえで話しましょう。
　　b．大きいこえで話しましょう。

Listen to the tape and circle the appropriate answer. Then listen again to check your answers.

お金がなくて買えませんでした

ー原因・理由の「〜て」ー

原因(げんいん)・理由(りゆう)を表(あらわ)す「〜て」のときは、〇を書(か)いてください。

Does the [〜て] form express the reason or cause of the action ? If so, put 〇 in the blank.

对话中是否使用了表示原因、理由的「〜て」? 如果有的话划O表示。

會話中是否使用了表示原因，理由的「〜で」? 如果有的話請劃O表示。

원인・이유를 나타내는「〜て」의 경우에는 〇표를 하시오.

例1 (　　)

例2 (〇)

練習

1. (　　)
2. (　　)
3. (　　)
4. (　　)
5. (　　)
6. (　　)
7. (　　)
8. (　　)
9 (　　)
10. (　　)
11. (　　)
12. (　　)
13. (　　)
14. (　　)
15. (　　)

子どもにそうじをさせます

82

―使役(1)―

aかbか選(えら)んでください

Circle the appropriate answer: a or b.

请选择 a 或者 b。

請選擇 a 或者 b。

옳은 답을 고르시오.

例1 a．山田(やまだ)さんが ／ (b.) 子(こ)どもが ｝そうじをする。

例2 a．（私(わたし)）が ／ (b.) 子(こ)どもが ｝そうじをする。

練習

1．a．（私(わたし)）が ／ b．むすこが ｝車(くるま)をあらう。

2．a．山田(やまだ)さんが ／ b．子(こ)どもが ｝ごみをすてる。

3．a．サリーさんが ／ b．弟(おとうと)が ｝手伝(てつだ)う。

4．a．社長(しゃちょう)が ／ b．客(きゃく)が ｝待(ま)つ。

5．a．鈴木(すずき)さんが ／ b．弟(おとうと)が ｝泣(な)いた。

6．a．両親(りょうしん)が ／ b．子(こ)どもが ｝勉強(べんきょう)する。

7．a．お母(かあ)さんが ／ b．あかちゃんが ｝ミルクを飲(の)む。

8．a．先生(せんせい)が ／ b．学生(がくせい)が ｝わらった。

9．a．先生(せんせい)が ／ b．学生(がくせい)が ｝答(こた)えを言(い)った。

10．a．けい子(こ)さんが ／ b．両親(りょうしん)が ｝びっくりした。

11．a．コンピューターが ／ b．（私(わたし)）が ｝計算(けいさん)する。

12．a．（私(わたし)）が ／ b．犬(いぬ)が ｝新聞(しんぶん)を持(も)ってくる。

13．a．友(とも)だちが ／ b．（私(わたし)）が ｝おこった。

14．a．学生(がくせい)が ／ b．先生(せんせい)が ｝よろこんだ。

15．a．（私(わたし)）が ／ b．子(こ)どもが ｝ピアノをならっている。

ちょっと待たせていただけますか

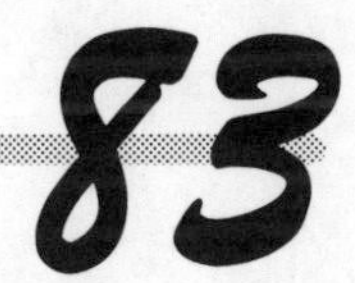

ー使役(2)ー

男の人がしますか、女の人がしますか。する方に○を書いてください。

Who performs the action, the man or the woman ? Put ○ in the blank to indicate the actor.

是男的做还是女的做？划０表示。

是男的做還是女的做？請劃０表示。

남자가 합니까? 여자가 합니까? 동작을 행하는 쪽에 O표를 하시오.

例1 男（ ○ ）
女（　　）

例2 男（　　）
女（ ○ ）

練習

1．男（　　）
女（　　）

2．男（　　）
女（　　）

3．男（　　）
女（　　）

4．男（　　）
女（　　）

5．男（　　）
女（　　）

6．男（　　）
女（　　）

7．男（　　）
女（　　）

8．男（　　）
女（　　）

9．男（　　）
女（　　）

10．男（　　）
女（　　）

これ使わせてもらえませんか

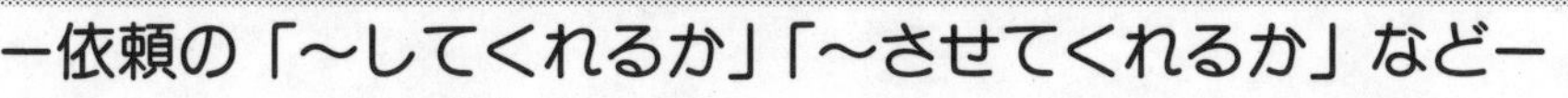

ー依頼の「～してくれるか」「～させてくれるか」などー

男(おとこ)の人(ひと)がしますか。女(おんな)の人(ひと)がしますか。する方(ほう)に○を書(か)いてください。

Who performs the action, the man or the woman ? Put ○ in the blanks to indicate the actor.

是男的做还是女的做？划O表示。

是男的做還是女的做？請劃O表示。

남자가 합니까? 여자가 합니까? 동작을 행하는 쪽에 ○표를 하시오.

	男(おとこ)	女(おんな)
例	(　)	(○)

練習

	男(おとこ)	女(おんな)
1.	(　)	(　)
2.	(　)	(　)
3.	(　)	(　)
4.	(　)	(　)
5.	(　)	(　)
6.	(　)	(　)
7.	(　)	(　)
8.	(　)	(　)
9.	(　)	(　)
10.	(　)	(　)
11.	(　)	(　)
12.	(　)	(　)
13.	(　)	(　)
14.	(　)	(　)
15.	(　)	(　)

カメラをこわしてしまったんです

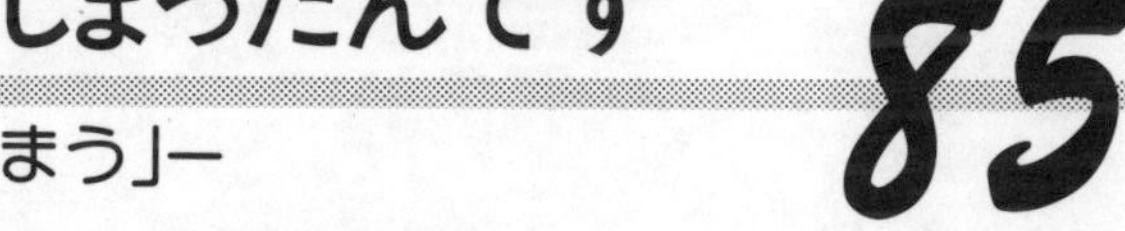

ー「〜てしまう」ー

会話を聞いて、すること、または、したことを書いてください。

Listen to the conversation. Write the appropriate verbs in the blanks, using the present or past tense, as appropriate.

请听对话，写出这是要做的事，还是已经做完了的事。

請聽會話，寫出是要做的事情或者是做過的事情。

회화를 듣고, 하는 것 혹은 한 것인지를 쓰시오.

例1 （ こわした ）

例2 （ やる ）

練習

1.（　　　　　　）　　7.（　　　　　　）

2.（　　　　　　）　　8.（　　　　　　）

3.（　　　　　　）　　9.（　　　　　　）

4.（　　　　　　）　　10.（　　　　　　）

5.（　　　　　　）　　11.（　　　　　　）

6.（　　　　　　）　　12.（　　　　　　）

いいんじゃない

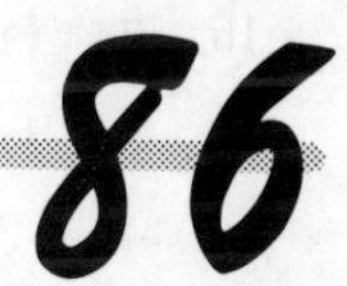

―「～んじゃない」―

答(こた)えている人(ひと)はa、bどちらの考(かんが)えに近(ちか)いですか。選(えら)んでください。

What is the person thinking？ Circle the appropriate answer: a or b.

请选择回答问题的人的想法是接近 a、还是接近 b？

請選擇回答的人的想法是接近 a 或者 b？

응답자의 생각은 a, b 어느 쪽에 가깝습니까?

例1 ⓐ．いい　b．よくない

例2 a．いい　ⓑ．よくない

例3 ⓐ．雨(あめ)だ　b．雨(あめ)じゃない

例4 a．雨(あめ)だ　ⓑ．雨(あめ)じゃない

例5 ⓐ．降(ふ)る　b．降(ふ)らない

例6 a．降(ふ)る　ⓑ．降(ふ)らない

練習

1．a．行(い)く　b．行(い)かない

2．a．行(い)く　b．行(い)かない

3．a．高(たか)い　b．高(たか)くない

4．a．ある　b．ない

5．a．すき　b．すきじゃない

6．a．行(い)った　b．行(い)かなかった

7．a．行(い)った　b．行(い)かなかった

8．a．銀行(ぎんこう)だ　b．銀行(ぎんこう)じゃない

9．a．銀行(ぎんこう)だ　b．銀行(ぎんこう)じゃない

10．a．さがしている　b．さがしていない

11．a．若(わか)い　b．若(わか)くない

12．a．若(わか)い　b．若(わか)くない

13．a．帰(かえ)った　b．帰(かえ)っていない

14．a．いる　b．いない

15．a．わかる　b．わからない

➡うらにつづく

16. a．わかる

b．わからない

17. a．吉田(よしだ)さんだ

b．吉田(よしだ)さんじゃない

18. a．ついている

b．ついていない

19. a．使(つか)ってもいい

b．使(つか)ってはいけない

20. a．おわった

b．おわっていない

行くんじゃないかと思います

―「～んじゃないかと思う」―

答え(こた)ている人(ひと)は、a、bどちらの考え(かんが)に近い(ちか)ですか。選ん(えら)でください。

What the person thinking ? Circle the appropriate answer: a or b.

请选择回答问题的人的想法是接近 a、还是接近 b？

請選擇回答的人的想法是接近 a 或者 b?

응답자의 생각은 a, b 어느 쪽에 가깝습니까?

例1 a．行く(い)　(b.) 行かない(い)

例2 a．行く(い)　(b.) 行かない(い)

例3 (a.) 行く(い)　b．行かない(い)

練習

1．a．降る(ふ)　b．降らない(ふ)

2．a．降る(ふ)　b．降らない(ふ)

3．a．降る(ふ)　b．降らない(ふ)

4．a．寒い(さむ)　b．寒くない(さむ)

5．a．寒い(さむ)　b．寒くない(さむ)

6．a．寒い(さむ)　b．寒くない(さむ)

7．a．休み(やす)　b．休みじゃない(やす)

8．a．休み(やす)　b．休みじゃない(やす)

9．a．休み(やす)　b．休みじゃない(やす)

10．a．便利だ(べんり)　b．便利じゃない(べんり)

11．a．便利だ(べんり)　b．便利じゃない(べんり)

12．a．便利だ(べんり)　b．便利じゃない(べんり)

写真をとられました

ー使役と受身ー

Ⅰ．「はい」か「いいえ」か選(えら)んでください。

Circle the appropriate answers: [はい] or [いいえ]

请选择「はい」或者「いいえ」。

請選擇是「はい」還是「いいえ」。

「はい」나「いいえ」를 고르시오.

練習

1）サリーさんは写真(しゃしん)をとりましたか。

例　はい　（いいえ）

a．はい　いいえ

b．はい　いいえ

c．はい　いいえ

2）サリーさんが調(しら)べましたか。

a．はい　いいえ

b．はい　いいえ

c．はい　いいえ

d．はい　いいえ

3）よしこさんは持(も)っていきましたか。

a．はい　いいえ

b．はい　いいえ

c．はい　いいえ

d．はい　いいえ

4）たろうさんは電気(でんき)を消(け)しましたか。

a．はい　いいえ

b．はい　いいえ

c．はい　いいえ

d．はい　いいえ

➡うらにつづく

II．正しいものには○、正しくないものには×を書いてください。

If correct, put ○ in the blank. If not correct, draw ×.

请在正确的地方划 O，错误的地方划 X。

正確的劃 O，錯誤的劃 X。

옳은 것에는 ○, 틀린 것에는 ×표를 하시오.

例	1.	2.	3.
a．（ × ）	a．（　）	a．（　）	a．（　）
b．（ ○ ）	b．（　）	b．（　）	b．（　）
c．（ × ）	c．（　）	c．（　）	c．（　）

シャワーをあびに行くところなんだ

89

―「～ところだ」―

適当な絵を選んでください。

Listen to the tape. Select the appropriate picture.

请选择适当的图画。

請聽錄音帶，選擇適當的圖畫。

테이프를 듣고 적당한 그림을 고르시오.

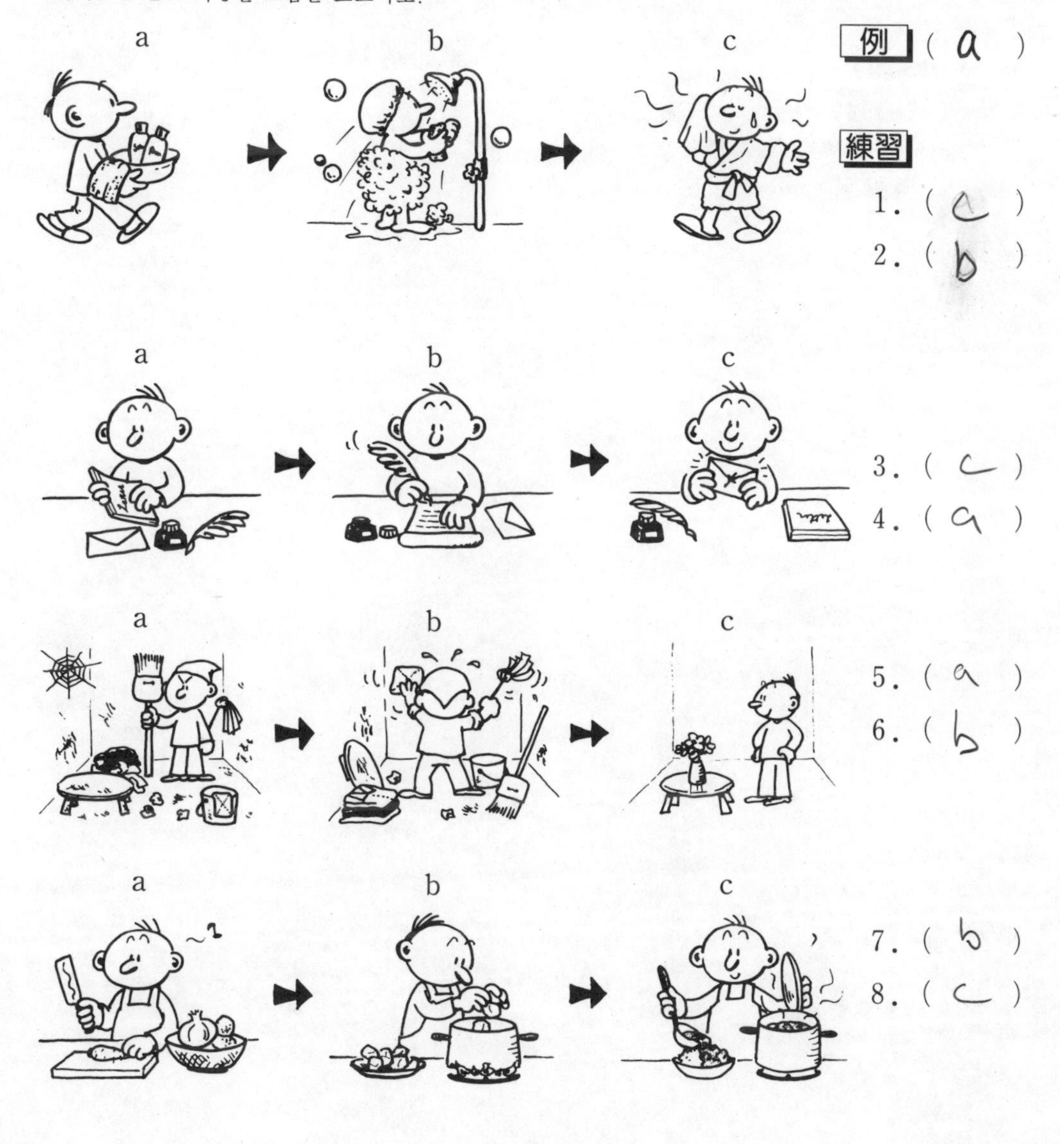

レポートを書かなければなりません　90

―「～なければならない」「～なきゃ」など―

I．どの言(い)い方(かた)をしていますか。aかbか選(えら)んでください。

What does the speaker say ? Circle the appropriate answer: a or b.

请选择磁带中的说法是 a 还是 b。

請選擇錄音帶中的說法是 a 還是 b。

어떤 표현을 하고 있습니까? a나 b를 고르시오.

例　レポートを　a．書(か)かなければ / b．書(か)かなくては　なりません。

練習

1．辞書(じしょ)を　a．見(み)なければ / b．見(み)なくては　いけません。

2．使(つか)い方(かた)を　a．覚(おぼ)えなくちゃ / b．覚(おぼ)えなきゃ　なりません。

3．朝早(あさはや)く　a．来(こ)なきゃ / b．来(こ)なければ　なりません。

4．毎日働(まいにちはたら)かなくては　a．いけません。 / b．なりません。

5．電話(でんわ)を使(つか)わなくちゃ　a．いけません。 / b．なりません。

6．辞書(じしょ)を持(も)って　a．行(い)かなきゃ。 / b．行(い)かなくちゃ。

➡うらにつづく

7．1時(じ)までに
- a．帰(かえ)んなきゃ。
- (b)．帰(かえ)んなくちゃ。

8．今晩(こんばん)はテストの
- a．勉強(べんきょう)やんなくちゃ。
- (b)．勉強(べんきょう)やんなきゃ。

II．何(なに)をしなければならないと言(い)っていますか。（　　　）に動詞(どうし)を書(か)いてください。

What must the speaker do? Write the appropriate verbs in the blank.

必须要干什么？ 请把动词写到括号中去。

錄音帶中說應該做甚麼 請？把動詞寫到括弧裏。

무엇을 해야 한다고 말하고 있습니까? ( ) 속에 동사를 쓰시오.

例 父(ちち)の仕事(しごと)を（ てつだわ ）なくちゃ。

練習

1．図書館(としょかん)に本(ほん)を（ かえさ ）なければなりません。

2．すぐ（ 行か ）なくてはいけません。

3．お金(かね)を（ 払わ ）なきゃなりません。

4．薬(くすり)を（ 飲ま ）なきゃいけません。

5．先生(せんせい)に（ そうだんし ）なきゃなりません。

6．日曜日(にちようび)は（ せんたくし ）なくちゃ。

7．漢字(かんじ)がもっと（ 読ま ）なきゃねえ。

8．国(くに)の母(はは)に手紙(てがみ)を（　　　　　）なきゃ。

これから出かけなきゃならないんです

―「～なきゃならない」など―

女の人は何をしなければならないと言っていますか。動詞の辞書形を書いてください。

What must the woman do ? Write the dictionary form of the verb in the blank.
磁带中的女人说必须要做什么？请写出动词原形。
錄音帶中的女人說應該做甚麼，請寫出動詞原形。
여자는 무엇을 해야 한다고 말하고 있습니까? 동사의 원형을 쓰시오.

例 これから（でかける）

練習

1．家に（ 帰る ）

2．もっと（ 勉強する ）

3．もっと（ あそぶ ）

4．せんたくものを（ ）

5．レポートを（ 書く ）

6．本を（ ）

7．研究を（ いそぐ ）

8．ワープロが（ できる ）

レポートは書かなくてもいいでしょうか

92

―「～なければならない」「～なくてもいい」―

男(おとこ)の人(ひと)がしなければならないことには○、男(おとこ)の人(ひと)がしなくてもいいことには×を書(か)いてください。

Listen to the tape. Put ○ in the blank if the man must perform the action, and × if he need not do so.

请听录音，在磁带中男人必须要做的事的地方划O，可做可不做的地方划X。

請聽錄音帶，將錄音帶中的男人應該做的事劃O表示；不做也可以的事劃X表示。

테이프를 듣고 남자가 해야 하는 것에는 O, 남자가 하지 않아도 되는 것에는 ×표를 하시오.

例 レポートを書(か)く。　（ ○ ）

練習

1．バスに乗(の)る。　（ ○ ）

2．たまごを買(か)う。　（ × ）

3．宿題(しゅくだい)をきょうやる。　（ × ）

4．100円(えん)払(はら)う。　（ × ）

5．食事(しょくじ)に行(い)く。　（ ○ ）

6．ぜんぶ食(た)べる。　（ × ）

7．ビールを買(か)っておく。　（ × ）

8．レポートを出(だ)す。　（ ○ ）

日本語を勉強するために来ました

ー原因と目的の「～ため（に）」ー

次の「～ため(に)」は原因ですか、目的ですか。どちらかに○を書いてください。

What is the meaning of the ［～ために］ in the following sentences ? Listen to the tape and put ○ in the appropriate column, "Cause" or "Purpose."

下面的「～ため(に)」是表示原因，还是表示目的？划○表示。

以下的「～ため(に)」是表示原因還是表示目的？請劃○表示。

다음「～ため(に)」는 원인입니까, 목적입니까? 어느 쪽인지 ○표를 하시오.

		原因 Cause 原因원인 原因	目的 Purpose 目的 목적 目的
例	例1		○
	例2	○	
練習	1		
	2		
	3		
	4		
	5		
	6		
	7		
	8		
	9		
	10		
	11		
	12		

引っこしなのにまだかたづけていません

―「～(な) ので」「～(な) のに」―

テープを聞いてからaかbか選んでください。その後で確かめてください。

Listen to the tape and circle the appropriate answer: a or b. Then listen again to check your answers.

请听录音，选择 a 或者 b，然后检查答案。

請聽錄音帶，選擇 a 或者 b。然後檢查是否正確。

테이프를 듣고, a나 b를 고르시오. 그 후 확인하시오.

例1 a．忙しいです。
(b.) まだかたづけていません。

例2 (a). 忙しいです。
b．まだかたづけていません。

練習

1．a．食べません。
b．食べるんですか。

2．a．食べません。
b．食べるんですか。

3．a．スペイン語が話せます。
b．スペイン語が話せません。

4．a．つかれました。
b．つかれませんでした。

5．a．コーヒーがきました。
b．紅茶がきました。

6．a．じゅぎょうが休みですか。
b．じゅぎょうを休んでもいいですか。

7．a．つかれてしまいました。
b．まだ来ません。

8．a．友だちとディスコへ行きました。
b．今日はうちで勉強しています。

9．a．歩いて行きましょう。
b．車で行くんですか。

10．a．テニスをやめませんでした。
b．テニスはやめましょう。

雨がふったら中止ですか

―「～たら」「～ても」―

テープを聞いてからaかbか選んでください。その後で確かめてください。

Listen to the tape and circle the correct answer: a or b. Then listen again to check your answers.

请听录音，选择 a 或者 b，然后检查答案。

請聽錄音帶，選擇 a 或者 b。然後檢查是否正確。

테이프를 듣고, a나 b를 고르시오. 그 후 확인하시오.

例

(a.) やります。

b. やりません。

練習

1. a. 買います。
   b. 買いません。

2. a. 教える。
   b. 教えない。

3. a. 車で行きましょう。
   b. 歩いて行きましょう。

4. a. ふとらないんです。
   b. ふとるんです。

5. a. まにあうかもしれませんね。
   b. まにあわないかもしれませんね。

6. a. さがしましたか。
   b. いいですよ。

7. a. 行きません。
   b. りょこうします。

8. a. 日本語の勉強をやめるつもりです。
   b. 日本語の勉強をつづけるつもりです。

9. a. やってくれるんです。
   b. だめなんです。

10. a. つづけようと思っています。
    b. やめようと思っています。

読むならかしてあげる

－「～なら」「～たら」－

テープを聞いてからａかｂか選んでください。その後で確かめてください。

Listen to the tape and circle the appropriate anwer: a or b. Then listen again to check your answers.

请听录音，选择 a 或者 b，然后检查答案。

請聽錄音帶，選擇 a 或者 b。然後檢查是否正確。

테이프를 듣고, a나 b를 고르시오. 그 후 확인하시오.

例１　ａ．貸してくれるよ。

　　　ⓑ．貸してあげるよ。

例２　ⓐ．貸してくれる。

　　　ｂ．貸してあげる。

練習

1．ａ．私にも使わせて。
　　ｂ．あの店がいいよ。

2．ａ．私にも使わせて。
　　ｂ．あの店がいいよ。

3．ａ．分かりませんか。
　　ｂ．分かるようになりますよ。

4．ａ．あそびたいです。
　　ｂ．図書館がいちばんいいですよ。

5．ａ．ひこうきのよやくをしたほうがいいです。
　　ｂ．手紙をください。

6．ａ．遊びに行こう。
　　ｂ．いまがいいよ。

7．ａ．いい先生でした。
　　ｂ．いい先生を紹介しますよ。

8．ａ．長袖シャツを着ていったほうがいいですよ。
　　ｂ．写真をたくさんとってきてください。

9．ａ．ごちそうを食べたわ。
　　ｂ．ごちそうをつくらなきゃ。

10．ａ．酒は飲まないほうがいいね。
　　ｂ．田中さんを乗せてきてくれる。

田中さんが入れたんですよ

97

―「は」「が」―

（　）に「は」か「が」を書いてください。

Fill in the blanks with ［は］ or ［が］.

请在括号里填入「は」或者「が」。

請在括弧裏填「は」或者「が」。

（　）속에「は」나「が」를 쓰시오.

例1 A：このコーヒー、おいしいですね。だれが入れたんですか。

B：これ、田中さん（ が ）入れたんですよ。

例2 A：あれ。田中さんは。↗

B：田中さん（ は ）いま、コーヒーを入れていますよ。

練習

1．A：この本、買ったんですか。

B：いいえ、私じゃなくて、田中さん（　　）買ったんですよ。

2．A：田中さん（　　）どこでこの本買ったんですか。

B：田中さん（　　）いつも駅前の本屋で買うそうですよ。

3．A：あれ、もう10時半ですよ。木村さん（　　）おそいですね。

B：あ、木村さん（　　）少しおくれるそうですよ。

4．A：みんないますか。だれ（　　）まだ来ていませんか。

B：あの、木村さん（　　）まだ来ていないんですけど。

5．A：あの、どちらさまでしょうか。

B：あ、私（　　）木村ともうします。

➡うらにつづく

6. A：あの、社長さん（　　　）いらっしゃいますか。
 B：あ、私（　　　）社長の木村ですが。何か。

7. A：社長さん（　　　）いらっしゃいますか。
 B：社長（　　　）いま会議中です。

8. A：あれっ、田中さん（　　　）いませんね。休みでしょうか。
 B：ええ、田中さん（　　　）きのう足の骨をおったんですよ。

9. A：えっ。だれ（　　　）足のほねをおったんですか。
 B：田中さん（　　　）おったんですよ。

10. A：ねえ、ねえ、この花きれいね。だれ（　　　）持ってきたの。↗
 B：田中さん（　　　）持ってきてくれたんですよ。

11. A：あしたのパーティーに山田さんは何か持っていく。↗
 B：ええ、私（　　　）花を持っていくつもりよ。

12. A：お母さん、ごはん（　　　）まだ。↗
 B：うん、もうすぐだから待って。

13. A：けんちゃん、ごはん（　　　）できたわよ。
 B：うわあ、おいしそう。

1時間も待たされたんだ

ー使役と使役受身ー

男の人ですか、女の人ですか。質問を聞いて選んでください。

Listen to the question. Who was made to perform the action, the man or the woman ?

是男人还是女人？听完问题后，请选择答案。

是男人還是女人？請聽完問題後，選擇答案。

남자입니까, 여자입니까? 질문을 듣고 고르시오.

例1 （男の人・(女の人)）です。

例2 （男の人・(女の人)）です。

練習

1．（男の人・女の人）です。

2．（男の人・女の人）です。

3．（男の人・女の人）です。

4．（男の人・女の人）です。

5．（男の人・女の人）です。

6．（男の人・女の人）です。

7．（男の人・女の人）です。

8．（男の人・女の人）です。

9．（男の人・女の人）です。

10．（男の人・女の人）です。

駅まで送りましょうか

―「～ましょうか」「～ませんか」など―

99

だれがしますか。○をつけてください。

Who performs the action? Circle the appropriate answer.

谁去做这件事？请划○表示。

誰去做？請劃○表示。

누가 합니까? ○표를 하시오.

例１

(男(おとこ)) ／ 女(おんな) ／ 男(おとこ)と女(おんな)　がおくる。

例２

男(おとこ) ／ 女(おんな) ／ (男(おとこ)と女(おんな))　が休(やす)んでいく。

練習

1. 男(おとこ) ／ 女(おんな) ／ 男(おとこ)と女(おんな)　が食(た)べに行(い)く。
2. 男(おとこ) ／ 女(おんな) ／ 男(おとこ)と女(おんな)　が持(も)つ。
3. 男(おとこ) ／ 女(おんな) ／ 男(おとこ)と女(おんな)　が飲(の)む。
4. 男(おとこ) ／ 女(おんな) ／ 男(おとこ)と女(おんな)　が伝言(でんごん)する。
5. 男(おとこ) ／ 女(おんな) ／ 男(おとこ)と女(おんな)　がてつだう。
6. 男(おとこ) ／ 女(おんな) ／ 男(おとこ)と女(おんな)　が帰(かえ)る。
7. 男(おとこ) ／ 女(おんな) ／ 男(おとこ)と女(おんな)　が電話(でんわ)する。
8. 男(おとこ) ／ 女(おんな) ／ 男(おとこ)と女(おんな)　が映画(えいが)に行(い)く。

➡うらにつづく

9. 男(おとこ) / 女(おんな) / 男(おとこ)と女(おんな) } が貸(か)す。

10. 男(おとこ) / 女(おんな) / 男(おとこ)と女(おんな) } が払(はら)う。

著者紹介

小林　典子（こばやし　のりこ）
1987年筑波大学大学院修士課程地域研究研究科、修了。
現在、筑波大学留学生センター　助教授。

フォード丹羽　順子（ふぉーどにわ　じゅんこ）
1987年筑波大学大学院修士課程地域研究研究科、修了。
現在、城西国際大学人文学部　専任講師。

高橋　純子　（たかはし　じゅんこ）
1991年国際基督教大学大学院教育学研究科博士前期課程
教育方法学（視聴覚教育法）専攻、修了。
現在、筑波大学留学生センター　非常勤講師。

藤本　泉（ふじもと　いずみ）（梅田　泉）
1992年国際基督教大学大学院教育学研究科博士前期課程
教育方法学（視聴覚教育法）専攻、修了。
現在、熊本大学留学生センター　専任講師。

三宅　和子（みやけ　かずこ）
1992年筑波大学大学院修士課程地域研究研究科、修了。
現在、東洋大学短期大学日本文学科　助教授。

イラスト・表紙デザイン
酒井　弘美（さかい　ひろみ）

わくわく　文法リスニング　99　ワークシート

1995年3月1日　　初版第1刷　発行
1999年10月15日　　初版第3刷　発行

著　者　小林典子・フォード丹羽順子・高橋純子・藤本泉・三宅和子
発　行　株式会社　凡　人　社　〒102-0093　東京都千代田区平河町1-3-13
菱進平河町ビル1階
TEL　03-3263-3959

ISBN 4-89358-307-7